REBELIÓN
EN LA GRANJA

Rebelión en la Granja

George Orwell

casa editorial
boekméxico

casa editorial
boekméxico

Rebelión en la Granja
George Orwell

D. R. © CASA EDITORIAL BOEK MÉXICO, S.A. DE C.V.
    Calle Reyes de España Mz. 4, LT 11 y 12
    Col. Ex hacienda de Tlalmininolpan, C.P. 56380
    San Vicente Chicoloapan, Estado de México

Comentarios:
Tel.: (55) 6315-2044
e-mail: boek_mx@outlook.com

PRIMERA EDICIÓN

ISBN: 978-607-96856-2-1

IMPRESO EN MÉXICO / PRINTED IN MEXICO

I

El señor Jones, propietario de la Granja Manor, cerró por la noche los gallineros, pero estaba demasiado borracho para recordar que había dejado abiertas las ventanillas. Con la luz de la linterna danzando de un lado a otro cruzó el patio, se quitó las botas ante la puerta trasera, se sirvió una última copa de cerveza del barril que estaba en la cocina y se fue directo a la cama, donde ya roncaba la señora Jones.

Apenas hubo apagado la luz en el dormitorio, empezó el alboroto en toda la granja. Durante el día se corrió la voz de que el Viejo Mayor, el verraco premiado, había tenido un sueño extraño la noche anterior y deseaba comunicárselo a los demás animales. Habían acordado reunirse todos en el granero principal cuando el señor Jones se retirara. El Viejo Mayor (así le llamaban siempre, aunque fue presentado en la exposición bajo el nombre de Willingdon Beauty) era tan altamente estimado en la granja, que todos estaban dispuestos a perder una hora de sueño para oír lo que él tuviera que decirles.

En un extremo del granero principal, sobre una especie de plataforma elevada, Mayor se encontraba ya arrellanado en su lecho de paja, bajo una linterna que pendía de una viga. Tenía doce años de edad y últimamente se había puesto bastante gordo, pero todavía era un cerdo majestuoso de aspecto sabio y bonachón a pesar de que sus colmillos nunca habían sido cortados.

Al poco rato empezaron a llegar los demás animales y a colocarse cómodamente, cada cual a su modo. Primero llegaron los tres perros: Bluebell, Jessie y Pincher; luego los cerdos, que se arrellanaron en la paja delante de la plataforma. Las gallinas se situaron en el alféizar de las ventanas, las palomas revolotearon hacia los tirantes de las vigas, las ovejas y las vacas se echaron detrás de los cerdos y se dedicaron a rumiar. Los dos caballos de tiro, Boxer y Clover, entraron juntos, caminando despacio y posando con gran cuidado sus enormes cascos peludos, por temor de que algún animalito pudiera hallarse oculto en la paja. Clover era una yegua robusta, entrada en años y de aspecto maternal que no había logrado recuperar la silueta después de su cuarto potrillo. Boxer era una bestia enorme, de casi quince palmos de altura y tan fuerte como dos caballos normales juntos. Una franja blanca a lo largo de su hocico le daba un aspecto estúpido, y ciertamente, no era muy inteligente, pero sí respetado por todos dada su entereza de carácter y su tremenda fuerza para el trabajo.

Después de los caballos llegaron Muriel, la cabra blanca, y Benjamín, el burro. Benjamín era el animal más viejo y de peor genio de la granja. Raramente hablaba, y cuando lo hacía generalmente era para hacer alguna observación cínica; diría, por ejemplo: "Dios me ha dado una cola para espantar las moscas, pero hubiera preferido no tener ni cola ni moscas". Era el único de los animales de la granja que jamás reía, y si se le preguntaba por qué, contestaba que no tenía motivos para hacerlo. Sin embargo, sin admitirlo abiertamente, sentía afecto por Boxer; los dos solían pasar, generalmente, el domingo en el pequeño prado detrás de la huerta pastando juntos, sin hablarse.

Apenas se echaron los dos caballos, cuando un grupo de patitos que habían perdido la madre entró en el granero piando débilmente y yendo de un lado a otro en busca de un lugar donde no hubiera peligro de que los pisaran. Clover formó una especie de pared con su enorme pata delantera y los patitos se anidaron allí durmiéndose enseguida. A última hora, Mollie, la bonita y tonta yegua blanca que tiraba del coche del señor Jones, entró afectadamente mascando un terrón de azúcar. Se colocó adelante, coqueteando con sus blancas crines con el fin de atraer la atención hacia los lazos rojos con que había sido trenzada. La última en aparecer fue la gata, que buscó como de costumbre, el lugar más cálido, acomodándose finalmente entre Boxer y Clover; allí ronroneó a gusto durante el desarrollo del discurso de Mayor, sin oír una sola palabra de lo que éste decía.

Ya estaban presentes todos los animales —excepto Moses, el cuervo amaestrado, que dormía sobre una percha detrás de la puerta trasera—. Cuando Mayor vio que estaban todos acomodados y esperaban con atención, aclaró su voz y dijo:

—Camaradas: ya se han enterado del extraño sueño que tuve anoche. Pero de eso hablaré luego. Primero tengo que decir otra cosa. Yo no creo camaradas, que esté muchos meses más con ustedes y antes de morir estimo mi deber transmitirles la sabiduría que he adquirido. He vivido muchos años, dispuse de bastante tiempo para meditar mientras he estado a solas en mi pocilga y creo poder afirmar que entiendo el sentido de la vida en este mundo, tan bien como cualquier otro animal viviente. Es respecto a esto de lo que hoy deseo hablarles.

"Veamos, camaradas: ¿Cuál es la realidad de esta vida nuestra? Encarémonos con ella: nuestras vidas son tristes, fatigosas y cortas Nacemos, nos suministran la comida necesaria para mantenernos y a aquellos de nosotros capaces de trabajar nos obligan a hacerlo hasta el último átomo de nuestras fuerzas; y en el preciso instante en que ya no servimos, nos matan con una crueldad espantosa. Ningún animal en Inglaterra conoce el significado de la felicidad o la holganza después de haber cumplido un año de edad. No hay animal libre en Inglaterra. La vida de un animal es sólo miseria y esclavitud; ésta es la pura verdad.

"Pero, ¿forma esto parte realmente, del orden de la naturaleza? ¿Es acaso porque esta tierra nuestra es tan pobre que no puede proporcionar una vida decorosa a todos sus habitantes? No camaradas, mil veces no. El suelo de Inglaterra es fértil, su clima es bueno, es capaz de dar comida en abundancia a una cantidad mucho mayor de animales que la que actualmente lo habita. Sólo nuestra granja puede mantener una docena de caballos, veinte vacas, centenares de ovejas; y todos ellos viviendo con una comodidad y una dignidad que en estos momentos está casi fuera del alcance de nuestra imaginación. ¿Por qué entonces, continuamos en esta mísera condición? Porque los seres humanos nos arrebatan casi todo el fruto de nuestro trabajo. Ahí está camaradas, la respuesta a todos nuestros problemas. Todo está explicado en una sola palabra: el Hombre. El hombre es el único enemigo real que tenemos. Hacer desaparecer al hombre de la escena y la causa motivadora de nuestra hambre y exceso de trabajó será abolida para siempre.

"El hombre es el único ser que consume sin producir. No da leche, no pone huevos, es demasiado débil para tirar del arado y su velocidad ni siquiera le permite atrapar conejos. Sin embargo, es dueño y señor de todos los animales. Los hace trabajar, les da el mínimo necesario para mantenerlos y lo demás se lo guarda para él. Nuestro trabajo es laborar la tierra, nuestro estiércol la abona y sin embargo, no existe uno de nosotros que posea algo más que su pellejo. Ustedes, vacas, que están aquí, ¿cuántos miles de litros de leche han dado este último año? ¿Y qué se ha hecho con esa leche que debía servir para criar terneros robustos? Hasta la última gota ha ido a parar al paladar de nuestros enemigos. Y ustedes, gallinas, ¿cuántos huevos han puesto este año y cuántos pollitos han salido de esos huevos? Todo lo demás ha ido a parar al mercado para producir dinero para Jones y su gente. Y tú, Clover, ¿dónde están esos cuatro potrillos que has tenido, que debían ser sostén y alegría de tu vejez? Todos fueron vendidos al año; no los volverás a ver jamás. Como recompensa por tus cuatro criaturas y todo tu trabajo en el campo, ¿qué has tenido, exceptuando tus escuálidas raciones y un pesebre?

"Ni siquiera nos permiten alcanzar el término natural de nuestras míseras vidas. Por mí no me quejo, porque he sido uno de los afortunados. Tengo doce años y he tenido más de cuatrocientas criaturas. Tal es el destino natural de un cerdo. Pero al final ningún animal se libra del cruel cuchillo. Ustedes, jóvenes cerdos que están sentados frente a mí, cada uno gemirá por su vida dentro de un año. A ese horror llegaremos todos: vacas, cerdos, gallinas, ovejas; todos. Ni siquiera los caballos y los perros tienen mejor destino. Tú, Boxer, el mismo día que tus grandes músculos pierdan su fuerza, Jones te venderá al descuartizador, quien te cortará el pescuezo y te cocerá para los perros de caza. En cuanto a los perros, cuando están viejos y sin dientes, Jones les ata un ladrillo al pescuezo y los ahoga en el estanque más cercano.

"¿No resulta entonces de una claridad meridiana, camaradas, que todos los males de nuestras vidas provienen de la tiranía de los seres humanos? Eliminar tan sólo al Hombre y el producto de nuestro trabajo nos pertenecerá. Casi de la noche a la mañana, nos volveríamos ricos y libres. Entonces, ¿qué es lo que debemos hacer? ¡Trabajar noche y día, con cuerpo y alma, para derrocar a la raza humana! Ese es mi mensaje camaradas: ¡Rebelión! Yo no sé cuándo vendrá esa rebelión; quizás dentro de una semana o dentro de cien años; pero sí sé, tan seguro como veo esta paja bajo mis patas, que tarde o temprano se hará justicia. ¡Fijen la vista en eso, camaradas, durante los pocos años que les quedan de vida! Y sobre todo, transmitan mi mensaje a los que vengan después, para que las futuras generaciones puedan proseguir la lucha hasta alcanzar la victoria.

"Y recuerden, camaradas: nuestra voluntad jamás deberá vacilar. Ningún argumento lo debe desviar. Nunca hagan caso cuando les digan que el Hombre y los animales tienen intereses comunes, que la prosperidad de uno es también la de los otros. Todo esto es mentira. El Hombre no sirve los intereses de ningún ser exceptuando los propios. Y entre nosotros los animales, que haya perfecta unidad, perfecta camaradería en la lucha. Todos los hombres son enemigos. Todos los animales son camaradas.

En ese momento se produjo una tremenda conmoción. Mientras Mayor estaba hablando, cuatro grandes ratas habían salido de sus escondrijos y se habían sentado sobre sus cuartos traseros, escuchándolo. Los perros las divisaron repentinamente y sólo merced a una acelerada carrera hasta sus reductos lograron las ratas salvar sus vidas. Mayor levantó su pata para imponer silencio.

—Camaradas —dijo—, aquí hay un punto que debe ser aclarado. Los animales salvajes, como los ratones y los conejos, ¿son nuestros amigos o nuestros enemigos? Pongámoslo a votación.

"Yo planteo esta pregunta a la asamblea: ¿Son camaradas las ratas?

Se pasó a votación inmediatamente, decidiéndose por una mayoría abrumadora que las ratas eran camaradas. Hubo solamente cuatro discrepantes: los tres perros y la gata, que, como se descubrió luego, habían votado por ambos lados. Mayor prosiguió:

—Me resta poco que decir. Simplemente insisto: recuerden siempre el deber de enemistad que tienen hacia el Hombre y su manera de ser. Todo lo que camine sobre dos pies es un enemigo. Lo que ande a cuatro patas o tenga alas, es un amigo. Y recuerden también que en la lucha contra el Hombre, no debemos llegar a parecernos a él. Aun cuando lo hayan vencido, no adopten sus vicios. Ningún animal debe vivir en una casa, dormir en una cama, vestir ropas, beber alcohol, fumar tabaco, manejar dinero ni ocuparse del comercio. Todas las costumbres del Hombre son malas. Y sobre todas las cosas, ningún animal debe tiranizar a sus semejantes. Débiles o fuertes, listos o ingenuos, todos somos hermanos. Ningún animal debe matar a otro animal. Todos los animales son iguales.

"Y ahora, camaradas, les contaré mi sueño de anoche. No estoy en condiciones de describírlo a ustedes. Era una visión de cómo será la tierra cuando el Hombre haya sido proscrito. Pero me trajo a la memoria algo que hace tiempo había olvidado. Muchos años hace, cuando yo era un lechoncito, mi madre y las otras cerdas acostumbraban a entonar una vieja canción de la que sólo sabían la tonada y las tres primeras palabras. Aprendí esa canción en mi infancia, pero hacía mucho tiempo que la había olvidado. Anoche, sin embargo, volvió a mí en el sueño. Y más aún, las palabras de la canción también; palabras que, tengo la certeza, fueron cantadas por animales de épocas lejanas y luego olvidadas durante muchas generaciones. Les cantaré esa canción ahora, camaradas. Soy viejo y mi voz es ronca, pero cuando les haya enseñado la tonada podrán cantarla mejor que yo. Se llama "Bestias de Inglaterra".

El viejo Mayor carraspeó y comenzó a cantar. Tal como había dicho, su voz era ronca, pero a pesar de todo lo hizo bastante bien; era una tonadilla rítmica, algo a medias entre "Clementina" y "La cucaracha". La letra decía así:

¡Bestias de Inglaterra, bestias de Irlanda!
¡Bestias de toda tierra y clima!
¡Oíd mis gozosas nuevas que cantan un futuro feliz!
Tarde o temprano llegará la hora
en la que la tiranía del Hombre sea derrocada
y las ubérrimas praderas de Inglaterra
tan sólo por animales sean holladas.
De nuestros hocicos serán proscritas las argollas,
de nuestros lomos desaparecerán los arneses.
Bocados y espuelas serán presas de la herrumbre
y nunca más crueles látigos harán oír su restallar.
Más ricos que la mente imaginar pudiera,
el trigo, la cebada, la avena, el heno, el trébol, la alfalfa
y la remolacha serán sólo nuestros el día señalado.
Radiantes lucirán los prados de Inglaterra
y más puras las aguas manarán;
más suave soplará la brisa
el día que brille nuestra libertad.
Por ese día todos debemos trabajar
aunque hayamos de morir sin verlo.
Caballos y vacas, gansos y pavos,
¡todos deben, unidos, por la libertad luchar!
¡Bestias de Inglaterra, bestias de Irlanda!
¡Bestias de todo país y clima!
¡Oíd mis gozosas nuevas que cantan un futuro feliz!

El ensayo de esta canción puso a todos los animales en la más salvaje excitación. Poco antes de que Mayor hubiera terminado, ya se habían lanzado todos a cantarla. Hasta el más estúpido había retenido la melodía y parte de la letra, mientras que los más inteligentes, como los cerdos y los perros, aprendieron la canción en pocos minutos. Poco más tarde, con ayuda de varios ensayos previos, toda la granja rompió a cantar "Bestias de Inglaterra" al unísono. Las vacas la mugieron, los perros la aullaron, las ovejas la balaron, los caballos la relincharon, los patos la graznaron. Estaban tan contentos con la canción que la repitieron cinco veces seguidas y habrían continuado así toda la noche de no haber sido interrumpidos.

Desgraciadamente, el alboroto armado despertó al señor Jones, que saltó de la cama creyendo que había un zorro merodeando en los corrales. Tomó la escopeta, que estaba permanentemente en un rincón del dormitorio, y disparó un tiro en la oscuridad. Los perdigones se incrustaron en la pared del granero y la sesión se levantó precipitadamente. Cada cual huyó hacia su lugar de dormir. Las aves saltaron a sus palos, los animales se acostaron en la paja y en un instante toda la granja estaba durmiendo.

II

Tres noches después, el Viejo Mayor murió apaciblemente mientras dormía. Su cadáver fue enterrado al pie de la huerta.

Eso ocurrió a principios de marzo. Durante los tres meses siguientes hubo una gran actividad secreta. A los animales más inteligentes de la granja, el discurso de Mayor les había hecho ver la vida desde un punto de vista totalmente nuevo. Ellos no sabían cuándo sucedería la rebelión que pronosticara Mayor; no tenían motivo para creer que sucediera durante el transcurso de sus propias vidas, pero vieron claramente que su deber era prepararse para ella. El trabajo de enseñar y organizar a los demás recayó naturalmente sobre los cerdos, a quienes se reconocía en general como los más inteligentes de los animales.

Elementos prominentes entre ellos eran dos cerdos jóvenes que se llamaban Snowball y Napoleón, a quienes el señor Jones estaba criando para vender. Napoleón era un verraco grande de aspecto feroz, el único cerdo de raza *Berkshire* en la granja; de pocas palabras, tenía fama de salirse siempre con la suya. Snowball era más vivaz que Napoleón, tenía mayor facilidad de palabra y era más ingenioso, pero lo consideraban de carácter más débil. Los demás puercos machos de la granja eran muy jóvenes. El más conocido entre ellos era uno pequeño y gordito que se llamaba Squealer, de mejillas muy redondas, ojos vivarachos, movimientos ágiles y voz chillona. Era un orador brillante, y cuando discutía algún asunto difícil, tenía una forma de saltar de lado a lado moviendo la cola que le hacía muy persuasivo. Se decía de Squealer que era capaz de hacer ver lo negro, blanco.

Estos tres habían elaborado, con base en las enseñanzas del Viejo Mayor, un sistema completo de ideas al que dieron el nombre de Animalismo. Varias noches por semana, cuando el señor Jones ya dormía, celebraban reuniones secretas en el granero, en cuyo transcurso exponían a los demás los principios del Animalismo. Al comienzo encontraron mucha estupidez y apatía. Algunos animales hablaron del deber de lealtad hacia el señor Jones, a quien llamaban "Amo", o hacían observaciones elementales como: "El señor Jones nos da de comer"; "Si él no estuviera nos moriríamos de hambre". Otros formulaban preguntas como: "¿Qué nos importa a nosotros lo que va a suceder cuando estemos muertos?", o bien: "Si la rebelión se va a producir de todos modos, ¿qué diferencia hay si trabajamos para ello o no?", y los cerdos tenían grandes dificultades en hacerles ver que eso era contrario al espíritu del Animalismo. Las preguntas más estúpidas fueron hechas por Mollie, la yegua blanca. La primera que dirigió a Snowball fue la siguiente:

—¿Habrá azúcar después de la rebelión?

—No —respondió Snowball firmemente—. No tenemos medios para fabricar azúcar en esta granja.

Además, tú no necesitas azúcar. Tendrás toda la avena y el heno que desees.

—¿Y se me permitirá seguir usando cintas en la crin? —insistió Mollie.

—Camarada —dijo Snowball—, esas cintas que tanto te gustan son el símbolo de la esclavitud. ¿No entiendes que la libertad vale más que esas cintas?

Mollie asintió, pero daba la impresión de que no estaba muy convencida.

Los cerdos tuvieron una lucha aún mayor para poder contrarrestar las mentiras que difundía Moses, el cuervo amaestrado. Moses, que era el favorito del señor Jones, era espía y chismoso, pero también un orador muy hábil. Pretendía conocer la existencia de un país misterioso llamado Monte Azúcar, al que iban todos los animales cuando morían. Estaba situado en algún lugar del cielo, "un poco más allá de las nubes", decía Moses. Allí era domingo siete veces por semana, el trébol estaba en estación todo el año y los terrones de azúcar y las tortas de linaza crecían en los cercados. Los animales odiaban a Moses porque era chismoso y no hacía ningún trabajo, pero algunos creían lo de Monte Azúcar y los cerdos tenían que argumentar mucho para persuadirlos de la inexistencia de tal lugar.

Los discípulos más leales eran los caballos de tiro Boxer y Clover. Ambos tenían gran dificultad en formar su propio juicio, pero desde que aceptaron a los cerdos como maestros, asimilaban todo lo que se les decía y lo transmitían a los demás animales mediante argumentos sencillos. Nunca faltaban a las citas secretas en el granero y encabezaban el canto de "Bestias de Inglaterra" con el que siempre se daba fin a las reuniones.

El hecho fue que la rebelión se llevó a cabo mucho antes y más fácilmente de lo que ellos esperaban. En años anteriores el señor Jones, a pesar de ser un amo duro, había sido un agricultor capaz, pero últimamente contrajo algunos vicios. Se había desanimado mucho después de perder bastante dinero en un pleito y comenzó a beber más de la cuenta. Durante días enteros permanecía en su sillón de la cocina, leyendo los periódicos, bebiendo y ocasionalmente, dándole a Moses cortezas de pan mojado en cerveza. Sus hombres se habían vuelto perezosos y descuidados, los campos estaban llenos de maleza, los edificios necesitaban arreglos, los vallados estaban descuidados, y los animales mal alimentados.

Llegó junio y el heno estaba casi listo para ser cosechado. La noche de San Juan, que era sábado, el señor Jones fue a Willingdon y se emborrachó de tal forma en "El León Colorado", que no volvió a la granja hasta el mediodía del domingo. Los peones habían ordeñado las vacas de madrugada y luego se fueron a cazar conejos, sin preocuparse de dar de comer a los animales. A su regreso, el señor Jones se quedó dormido inmediatamente en el sofá de la sala, tapándose la cara con el periódico, de manera que al anochecer los animales aún estaban sin comer. El hambre sublevó a los animales, que ya no resistieron más. Una de las vacas rompió de una cornada la puerta del depósito de forrajes y los animales empezaron a servirse solos de los depósitos. En ese momento se despertó el señor Jones. De inmediato él y sus cuatro peones se hicieron presentes con látigos, azotando a diestra y siniestra. Esto superaba lo que los hambrientos animales podían soportar. Unánimemente, aunque nada había sido planeado con anticipación, se abalanzaron sobre sus torturadores. Repentinamente, Jones y sus peones se encontraron recibiendo empellones y patadas de todos lados. Estaban perdiendo el dominio de la situación porque jamás habían visto a los animales portarse de esa manera. Aquella inopinada insurrección de bestias a las que estaban acostumbrados a golpear y maltratar a su antojo, los aterrorizó hasta casi hacerles perder la cabeza. Al poco, abandonaron su conato de defensa y escaparon. Un minuto después, los cinco corrían a toda velocidad por el sendero que conducía al camino principal con los animales persiguiéndoles triunfalmente.

La señora Jones miró por la ventana del dormitorio, vio lo que sucedía, metió precipitadamente algunas cosas en un bolso y se escabulló de la granja por otro camino. Moses saltó de su percha y aleteó tras ella, graznando sonoramente. Mientras tanto, los animales habían perseguido a Jones y sus peones hacia la carretera y, apenas salieron, cerraron el portón tras ellos estrepitosamente. Y así, casi sin darse cuenta de lo ocurrido, la rebelión se había llevado a cabo triunfalmente: Jones fue expulsado y la "Granja Manor" era de ellos.

Durante los primeros minutos los animales apenas si daban crédito a su triunfo. Su primera acción fue correr todos juntos alrededor de los límites de la granja, como para cerciorarse de que ningún ser humano se escondía en ella; luego volvieron al galope hacia los edificios para borrar los últimos vestigios del ominoso reinado de Jones. Irrumpieron en el guadarnés que estaba en un extremo del establo; los bocados, las argollas, las cadenas de los perros, los crueles cuchillos con los que el señor Jones acostumbraba a castrar a los cerdos y corderos, todos fueron arrojados al aljibe. Las riendas, las cabezadas, las anteojeras, los degradantes morrales fueron tirados al fuego en el patio donde en ese momento se estaba quemando la basura. Igual destino tuvieron los látigos. Todos los animales saltaron de alegría cuando los vieron arder. Snowball también tiró al fuego las cintas que generalmente adornaban las colas y crines de los caballos en los días de feria.

—Las cintas —dijo—, deben considerarse como indumentaria, que es el distintivo de un ser humano. Todos los animales deben ir desnudos.

Cuando Boxer oyó esto, tomó el sombrerito de paja que usaba en verano para impedir que las moscas le entraran en las orejas y lo tiró al fuego con lo demás.

En muy poco tiempo los animales habían destruido todo lo que podía hacerles recordar el dominio del señor Jones. Entonces Napoleón los llevó nuevamente al depósito de forrajes y sirvió una doble ración de maíz a cada uno, con dos bizcochos para cada perro. Luego cantaron "Bestias de Inglaterra" de cabo a rabo siete veces seguidas, y después de eso se acomodaron para pasar la noche y durmieron como nunca lo habían hecho anteriormente.

Pero se despertaron al amanecer, como de costumbre, y acordándose repentinamente del glorioso acontecimiento, se fueron todos juntos a la pradera. A poca distancia de allí había una loma desde donde se dominaba casi toda la granja. Los animales se dieron prisa en llegar a la cumbre y miraron en su torno, a la clara luz de la mañana. Sí, era de ellos; ¡todo lo que podían ver era suyo! Poseídos por este pensamiento, brincaban por doquier, se lanzaban al aire dando grandes saltos de alegría. Se revolcaban en el rocío, mordían la dulce hierba del verano, coceaban levantando terrones de tierra negra y aspiraban su fuerte aroma. Luego hicieron un recorrido de inspección por toda la granja y miraron con muda admiración la tierra labrada, el campo de heno, la huerta, el estanque, el soto. Era como si nunca hubieran visto aquellas cosas anteriormente, y apenas podían creer que todo era de ellos.

Volvieron después a los edificios de la granja y, vacilantes, se detuvieron en silencio ante la puerta de la casa. También era suya, pero tenían miedo de entrar. Sin embargo, un momento después, Snowball y Napoleón empujaron la puerta con el hombro y los animales entraron en fila india, caminando con el mayor cuidado por miedo a estropear algo. Fueron de puntillas de una habitación a otra, temerosos de alzar la voz, contemplando con una especie de temor reverente el increíble lujo que allí había: las camas con sus colchones de plumas, los espejos, el sofá de pelo de crin, la alfombra de Bruselas, la litografía de la Reina Victoria que estaba colgada encima del hogar de la sala. Estaban bajando la escalera cuando se dieron cuenta de que faltaba Mollie. Al volver sobre sus pasos descubrieron que la yegua se había quedado en el mejor dormitorio. Había tomado un trozo de cinta azul de la mesa de tocador de la señora Jones y, apoyándola sobre el hombro, se estaba admirando en el espejo como una tonta. Los otros se lo reprocharon ásperamente y salieron. Sacaron unos jamones que estaban colgados en la cocina y les dieron sepultura; el barril de cerveza fue destrozado mediante una coz de Boxer, y no se tocó nada más de la casa. Allí mismo se resolvió unánimemente que la vivienda sería conservada como museo. Estaban todos de acuerdo en que jamás debería vivir allí animal alguno.

Los animales tomaron el desayuno, y luego Snowball y Napoleón los reunieron a todos otra vez.

—Camaradas —dijo Snowball—, son las seis y media y tenemos un largo día ante nosotros. Hoy debemos comenzar la cosecha del heno. Pero hay otro asunto que debemos resolver primero. Los cerdos revelaron entonces que durante los últimos tres meses, habían aprendido a leer y escribir mediante un libro elemental que había sido de los chicos del señor Jones y que después, fue tirado a la basura. Napoleón mandó traer unos botes de pintura blanca y negra y los llevó hasta el portón que daba al camino principal. Luego Snowball (que era el que mejor escribía) tomó un pincel entre los dos nudillos de su pata delantera, tachó "Granja Manor" de la traviesa superior del portón y en su lugar pintó "Granja Animal". Ése iba a ser, de ahora en adelante, el nombre de la granja. Después volvieron a los edificios donde Snowball y Napoleón mandaron traer una escalera que hicieron colocar contra la pared trasera del granero principal. Entonces explicaron que, mediante sus estudios de los últimos tres meses, habían logrado reducir los principios del Animalismo a siete Mandamientos.

Esos siete Mandamientos serían inscritos en la pared; formarían una ley inalterable por la cual deberían regirse en adelante, todos los animales de la

"Granja Animal". Con cierta dificultad (porque no es fácil para un cerdo mantener el equilibrio sobre una escalera), Snowball trepó y puso manos a la obra con la ayuda de Squealer que, unos peldaños más abajo, le sostenía el bote de pintura. Los Mandamientos fueron escritos sobre la pared alquitranada con letras blancas, y tan grandes, que podían leerse a treinta yardas de distancia. La inscripción decía así:

Los siete mandamientos

1. *Todo lo que camina sobre dos pies es un enemigo.*
2. *Todo lo que camina sobre cuatro patas, o tenga alas, es un amigo.*
3. *Ningún animal usará ropa.*
4. *Ningún animal dormirá en una cama.*
5. *Ningún animal beberá alcohol.*
6. *Ningún animal matará a otro animal.*
7. *Todos los animales son iguales.*

Estaba escrito muy claramente y exceptuando que donde debía decir "amigo", se leía "imago" y que una de las "S" estaba al revés, la redacción era correcta. Snowball lo leyó en voz alta para los demás. Todos los animales asintieron con una inclinación de cabeza demostrando su total conformidad y los más inteligentes empezaron enseguida a aprenderse de memoria los Mandamientos.

—Ahora, camaradas —gritó Snowball tirando el pincel—, ¡al henar! Impongámonos el compromiso de honor de terminar la cosecha en menos tiempo del que tardaban Jones y sus hombres.

En aquel momento, las tres vacas, que desde un rato antes parecían estar intranquilas, empezaron a mugir muy fuertemente. Hacía veinticuatro horas que no habían sido ordeñadas y sus ubres estaban a punto de reventar. Después de pensarlo un momento, los cerdos mandaron traer unos cubos y ordeñaron a las vacas con regular éxito pues sus patas se adaptaban bastante bien a esa tarea. Rápidamente hubo cinco cubos de leche cremosa y espumosa, que muchos de los animales miraban con gran interés.

—¿Qué se hará con toda esa leche? —preguntó alguien.

—Jones a veces empleaba una parte mezclándola en nuestra comida —dijo una de las gallinas.

—¡No se preocupen por la leche, camaradas! —expuso Napoleón situándose delante de los cubos—. Eso ya se arreglará. La cosecha es más importante. El camarada Snowball los guiará. Yo los seguiré dentro de unos minutos. ¡Adelante, camaradas! El heno nos espera.

Los animales se fueron en tropel hacia el campo de heno para empezar la cosecha y, cuando volvieron al anochecer, notaron que la leche había desaparecido.

III

¡Cuánto trabajaron y sudaron para poder llevar el heno! Pero sus esfuerzos fueron recompensados, pues la cosecha resultó incluso mejor de lo que esperaban.

A veces el trabajo era duro; los aperos habían sido diseñados para seres humanos y no para animales, y representaba una gran desventaja el hecho de que ningún animal pudiera usar las herramientas que obligaban a empinarse sobre sus patas traseras. Pero los cerdos eran tan listos que encontraban solución a cada problema. En cuanto a los caballos, conocían cada palmo del terreno y en realidad, entendían el trabajo de segar y rastrillar mejor que Jones y sus hombres. Los cerdos en verdad no trabajaban, pero dirigían y supervisaban a los demás. A causa de sus conocimientos superiores, era natural que ellos asumieran el mando. Boxer y Clover enganchaban los atalajes a la segadora o a la rastrilladora (en aquellos días, naturalmente, no hacían falta frenos o riendas) y marchaban resueltamente por el campo con un cerdo caminando detrás y diciéndoles: "Arre, camarada" o "atrás, camarada", según el caso. Y todos los animales, incluso los más humildes, laboraron para aventar el heno y amontonarlo. Hasta los patos y las gallinas trabajaban yendo de un lado para el otro, todo el día a pleno sol, transportando manojitos de heno en sus picos. Al final terminaron la cosecha invirtiendo dos días menos de lo que generalmente tardaban Jones y sus peones. Además, era la cosecha más grande que se había visto en la granja. No hubo desperdicio alguno; las gallinas y los patos con su vista penetrante habían levantado hasta el último brote. Y ningún animal de la estancia había robado ni tan siquiera un bocado.

Durante todo el verano, el trabajo en la granja anduvo sobre ruedas. Los animales eran felices como jamás habían imaginado que podrían serlo. Cada bocado de comida resultaba un exquisito manjar, ya que era realmente su propia comida, producida por ellos y para ellos y no repartida en pequeñas porciones y de mala gana por un amo gruñón. Como ya no estaban los inútiles y parasitarios seres humanos, había más comida para todos.

Se tenían más horas libres también, a pesar de la inexperiencia de los animales. Claro está que se encontraron con muchas dificultades, por ejemplo: cuando cosecharon el maíz, tuvieron que pisarlo al estilo antiguo y eliminar los desperdicios soplando, pues la granja no tenía desgranadora, pero los cerdos con su inteligencia y Boxer con sus poderosos músculos los sacaban siempre de apuros. Todos admiraban a Boxer. Había sido un gran trabajador aun en el tiempo de Jones, pero ahora más bien semejaba tres caballos que uno; en determinados días parecía que todo el trabajo descansaba sobre sus forzudos hombros. Tiraba y arrastraba de la mañana a la noche y siempre donde el trabajo era más duro. Había acordado con un gallo que, éste lo despertara media hora antes que a los demás, y efectuaba algún trabajo voluntario donde hacía más falta, antes de empezar la tarea normal de todos los días. Su respuesta para cada problema, para cada contratiempo, era: "¡Trabajaré más fuerte!"; era como un estribillo personal.

Pero cada uno actuaba conforme a su capacidad. Las gallinas y los patos, por ejemplo, recuperaron cinco fanegas de maíz durante la cosecha, recogiendo los granos perdidos. Nadie robó, nadie se quejó de su ración; las discusiones, peleas y envidias que eran componente natural de la vida cotidiana en los días de antaño, habían desaparecido casi por completo. Nadie eludía el trabajo, o casi nadie. Mollie, en verdad, no era muy diligente para levantarse por la mañana, y tenía la costumbre de dejar el trabajo temprano, alegando que se le había introducido una piedra en el casco. Y el comportamiento de la gata era algo raro. Pronto se notó que cuando había trabajo, no se la encontraba. Desaparecía durante horas enteras, y luego se presentaba a la hora de la comida o al anochecer, cuando cesaba el trabajo, como si nada hubiera ocurrido. Pero siempre presentaba tan excelentes excusas y ronroneaba tan afablemente, que era imposible dudar de sus buenas intenciones. El viejo Benjamín, el burro, parecía no haber cambiado desde la rebelión. Hacía su trabajo con la misma obstinación y lentitud que antes, nunca eludiéndolo y nunca ofreciéndose tampoco para cualquier tarea extra. No daba su opinión sobre la rebelión o sus resultados. Cuando se le preguntaba si no era más feliz, ahora que ya no estaba Jones, sólo contestaba: "los burros viven bastante tiempo. Ninguno de ustedes ha visto un burro muerto". Y los demás debían conformarse con tan misteriosa respuesta.

Los domingos no se trabajaba. El desayuno se tomaba una hora más tarde que de costumbre, y después tenía lugar una ceremonia que se cumplía todas las semanas sin excepción. Primero se izaba la bandera. Snowball había encontrado en el guadarnés un viejo mantel verde de la señora Jones y había pintado en blanco sobre su superficie un asta y una pezuña. Y esta enseña era izada en el mástil del jardín, todos los domingos por la mañana. La bandera era verde, explicó Snowball, para representar los campos verdes de Inglaterra, mientras que el asta y la pezuña significaban la futura República de los Animales, que surgiría cuando finalmente lograran derrocar a la raza humana. Después de izar la bandera, todos los animales se dirigían en tropel al granero principal donde tenía lugar una asamblea general, a la que se conocía como la Reunión. Allí se planeaba el trabajo de la semana siguiente y se suscitaban y debatían las decisiones a adoptar. Los cerdos eran los que siempre proponían las resoluciones. Los otros animales entendían cómo debían votar, pero nunca se les ocurrían ideas propias. Snowball y Napoleón eran sin duda, los más activos en los debates. Pero se notó que ellos nunca estaban de acuerdo; ante cualquier sugerencia que hacía uno, podía apreciarse que el otro estaría en contra. Hasta cuando se decidió reservar el pequeño campo detrás de la huerta como hogar de descanso para los animales que ya no estaban en condiciones de trabajar, hubo un tormentoso debate con referencia a la edad de retiro correspondiente a cada clase de animal. La reunión siempre terminaba con la canción "Bestias de Inglaterra", y la tarde la dedicaban al ocio.

Los cerdos hicieron del guadarnés su cuartel general. Todas las noches, estudiaban herrería, carpintería y otros oficios necesarios, en los libros que habían traído de la casa. Snowball también se ocupó en organizar a los otros, en lo que denominaba comités de Animales. Para esto, era incansable. Formó el comité de producción de huevos para las gallinas, la liga de las colas limpias para las vacas, el comité para reeducación de los camaradas salvajes (cuyo objeto era domesticar las ratas y los conejos), el movimiento pro-lana más blanca para las ovejas, y otros muchos, además de organizar clases de lectura y escritura. En general, estos proyectos resultaron un fracaso. El ensayo de domesticar a los animales salvajes, por ejemplo, falló casi de raíz. Siguieron portándose prácticamente igual que antes, y cuando eran tratados con generosidad se aprovechaban de ello. La gata se incorporó al comité para la reeducación y actuó mucho en él durante algunos días. Cierta vez la vieron sentada en la azotea charlando con algunos gorriones que estaban fuera de su alcance. Les estaba diciendo que todos los animales eran ya camaradas y que cualquier gorrión que quisiera podía posarse sobre su garra; pero los gorriones prefirieron abstenerse.

Las clases de lectura y escritura, por el contrario, tuvieron gran éxito. Para otoño casi todos los animales, en mayor o menor grado, tenían alguna instrucción. Los cerdos ya sabían leer y escribir perfectamente. Los perros aprendieron la lectura bastante bien, pero no les interesaba leer otra cosa que los siete mandamientos. Muriel, la cabra, leía un poco mejor que los perros, y a veces, por la noche, acostumbraba a hacer lecturas para los demás, de los recortes de periódicos que encontraba en la basura. Benjamín leía tan bien como cualquiera de los cerdos, pero nunca ejercitaba sus capacidades. Por lo que él sabía, dijo, no había nada que valiera la pena ser leído. Clover aprendió el abecedario completo, pero no podía unir las palabras. Boxer no pudo pasar de la letra D. Podía trazar en la tierra A, B, C, D, con su enorme casco, y luego se quedaba parado mirando absorto las letras con las orejas hacia atrás, moviendo a veces la melena, tratando de recordar lo que seguía, sin lograrlo jamás. En varias ocasiones, es cierto, logró aprender E, F, G, H, pero cuando lo consiguió, fue para descubrir que había olvidado A, B, C y D. Finalmente decidió conformarse con estas cuatro letras, y acostumbraba escribirlas una o dos veces al día para refrescar la memoria. Mollie se negó a aprender más de las seis letras que componían su nombre. Las formaba con mucha pulcritud con pedazos de ramas, y luego las adornaba con una flor o dos y caminaba a su alrededor admirándolas.

Ningún otro animal de la granja pudo pasar de la letra A. También se descubrió que los más estúpidos como las ovejas, las gallinas y los patos eran incapaces de aprender de memoria los siete mandamientos. Después de mucho meditar, Snowball declaró que los siete mandamientos podían reducirse a una sola máxima expresada así: "¡Cuatro patas sí, dos pies no!". Esto, dijo, contenía el principio esencial del Animalismo. Quien lo hubiera entendido a fondo estaría asegurado contra las influencias humanas. Al principio, las aves hicieron ciertas objeciones pues les pareció que también ellas tenían solamente dos patas; pero Snowball les demostró que no era así.

—Las alas de un pájaro —explicó— son órganos de propulsión y no de manipulación. Por lo tanto deben considerarse como patas. La característica que distingue al hombre es la "mano", útil con el cual comete todos sus desafueros.

Las aves no acabaron de entender la extensa perorata de Snowball pero aceptaron sus explicaciones y hasta los animales más insignificantes se pusieron a aprender la nueva máxima de memoria. "¡Cuatro patas sí, dos pies no! " fue inscrita en la pared del fondo del granero, encima de los siete mandamientos y con letras más grandes. A las ovejas les encantó y cuando se la aprendieron de memoria la balaban una y otra vez, hasta cuando descansaban tendidas sobre el campo y su "¡Cuatro patas sí, dos pies no!", se oía por horas enteras, repetido incansablemente.

Napoleón no se interesó por los comités creados por Snowball. Dijo que la educación de los jóvenes era más importante que cualquier cosa que pudiera hacerse por los adultos. Entretanto sucedió que Jessie y Bluebell habían parido poco después de cosechado el heno. Entre ambas, habían dado a la granja nueve cachorros robustos. Tan pronto como fueron destetados, Napoleón los separó de sus madres, diciendo que él se haría cargo de su educación. Se los llevó a un desván, al que sólo se podía llegar por una escalera desde el guadarnés, y allí los mantuvo en tal grado de reclusión, que el resto de la granja pronto se olvidó de su existencia.

El misterio del destino de la leche pronto se aclaró: se mezclaba todos los días en la comida de los cerdos.

Las primeras manzanas ya estaban madurando, y el césped de la huerta estaba cubierto de fruta caída de los árboles. Los animales creyeron como cosa natural, que aquella fruta sería repartida equitativamente; un día, sin embargo, se dio la orden de que todas las manzanas caídas de los árboles debían ser recolectadas y llevadas al guadarnés para consumo de los cerdos. A poco de ocurrir esto, algunos animales comenzaron a murmurar, pero en vano. Todos los cerdos estaban de acuerdo en este punto, hasta Snowball y Napoleón. Squealer fue enviado para dar las explicaciones necesarias.

—Camaradas —gritó—, imagino que no suponen que nosotros los cerdos estamos haciendo esto con un espíritu de egoísmo y de privilegio. En realidad muchos de nosotros tenemos aversión a la leche y a las manzanas. A mí personalmente no me agradan. Nuestro único objetivo al comer estos alimentos es preservar nuestra salud. La leche y las manzanas (esto ha sido demostrado por la ciencia, camaradas) contienen sustancias absolutamente necesarias para la salud del cerdo. Nosotros los cerdos, trabajamos con el cerebro. Toda la administración y organización de esta granja depende de nosotros. Día y noche estamos velando por *su* felicidad. Por *su* bien tomamos esa leche y comemos esas manzanas. ¿Acaso saben lo que ocurriría si los cerdos fracasáramos en nuestro cometido? ¡Jones volvería! Sí, ¡Jones volvería! Seguramente, camaradas —exclamó Squealer casi suplicante, danzando de un lado a otro y moviendo la cola—, seguramente no hay nadie entre ustedes que desee la vuelta de Jones.

Ciertamente, si había algo de lo que estaban completamente seguros los animales, era de no querer la vuelta de Jones. Cuando se les presentaba de esta forma, no sabían qué decir. La importancia de conservar la salud de los cerdos, era demasiado evidente. De manera que se decidió sin discusión alguna, que la leche y las manzanas caídas de los árboles (y también la cosecha principal de manzanas cuando éstas maduraran) debían reservarse para los cerdos en exclusiva.

IV

Para fines de verano, la noticia de lo ocurrido en la "Granja Animal" se había difundido por casi todo el condado. Todos los días, Snowball y Napoleón enviaban bandadas de palomas con instrucciones de mezclarse con los animales de las granjas colindantes, contarles la historia de la Rebelión y enseñarles los compases de "Bestias de Inglaterra".

Durante la mayor parte de ese tiempo, Jones permanecía en la taberna "El León Colorado", en Willingdon, quejándose a todos los que quisieran escucharle, de la monstruosa injusticia que había sufrido al ser arrojado de su propiedad por una banda de animales inútiles. Los otros granjeros se solidarizaron con él, aunque no le dieron demasiada ayuda. En su interior, cada uno pensaba secretamente si no podría en alguna forma transformar la desgracia de Jones en beneficio propio. Era una suerte que los dueños de las dos granjas que lindaban con "Granja Animal" estuvieran siempre enemistados. Una de ellas, que se llamaba "Foxwood", era una granja grande, anticuada y descuidada, cubierta de arboleda, con sus campos de pastoreo agotados y los cercados en un estado lamentable. Su propietario, el señor Pilkington, era un agricultor señorial e indolente que pasaba la mayor parte del tiempo pescando o cazando, según la estación. La otra granja, que se llamaba "Pinchfield", era más pequeña y estaba mejor cuidada. Su dueño, un tal Frederick, era un hombre duro, astuto, que estaba siempre peleando y tenía fama de hábil negociador. Los dos se odiaban tanto que era difícil que se pusieran de acuerdo, ni aun en defensa de sus propios intereses. Ello no obstante, ambos estaban completamente asustados por la rebelión de la "Granja Animal" y muy ansiosos por evitar que sus animales llegaran a saber mucho del acontecimiento. Al principio, aparentaban reírse y desdeñar la idea de unos animales administrando su propia granja. "Todo este asunto se terminará de la noche a la mañana", se decían. Afirmaban que los animales en la "Granja Manor" (insistían en llamarla "Granja Manor" pues no podían tolerar el nombre de "Granja Animal"), se peleaban continuamente entre sí y terminarían muriéndose de hambre. Pasado algún tiempo, y cuando los animales evidentemente no perecían de hambre, Frederick y Pilkington cambiaron de tono y empezaron a hablar de la terrible maldad que florecía en la "Granja Animal". Difundieron el rumor de que los animales practicaban el canibalismo, se torturaban unos a otros con herraduras calentadas al rojo y practicaban el amor libre. "Ése es el resultado de rebelarse contra las leyes de la Naturaleza", sostenían Frederick y Pilkington.

Sin embargo, nunca se dio mucho crédito a estos cuentos. Rumores acerca de una granja maravillosa de la que se había expulsado a los seres humanos y en la que los animales administraban sus propios asuntos, continuaron circulando en forma vaga y falseada, y durante todo ese año se extendió una ola de rebeldía en la comarca. Toros que siempre habían sido dóciles se volvieron repentinamente salvajes; había ovejas que rompían los cercados y devoraban el trébol; vacas que volcaban los baldes cuando las ordeñaban; caballos de caza que se negaban a saltar los setos y que lanzaban a sus jinetes por encima de sus orejas. A pesar de todo, la tonada y hasta la letra de "Bestias de Inglaterra" eran conocidas por doquier. Se habían difundido con una velocidad asombrosa. Los seres humanos no podían detener su furor cuando oían esta canción, aunque aparentaban considerarla sencillamente ridícula. No podían entender, cómo hasta los animales mismos se atrevían a cantar algo tan delezable. Cualquier animal que era sorprendido cantándola, se le azotaba en el acto. Sin embargo, la canción resultó irreprimible: los mirlos la silbaban en los vallados, las palomas la arrullaban en los álamos y hasta se reconocía en el ruido de las fraguas y en el tañido de las campanas de las iglesias. Y cuando los seres humanos la escuchaban, temblaban secretamente, pues presentían en ella un augurio de su futura perdición.

A principios de octubre, cuando el maíz había sido cortado y entrojado y parte del mismo ya había sido trillado, una bandada de palomas cruzó a toda velocidad y se posó muy excitada, en el patio de "Granja Animal". Jones y todos sus peones, con media docena más de hombres de "Foxwood" y "Pinchfield", habían atravesado el portón y se aproximaban por el sendero hacia la casa. Todos esgrimían palos, excepto Jones, que marchaba delante con una escopeta en la mano. Evidentemente tratarían de reconquistar la granja.

Esta eventualidad, hacía tiempo que estaba prevista y, en consecuencia, se habían adoptado las precauciones necesarias. Snowball, que había estudiado las campañas de Julio César en un viejo libro hallado en la casa, estaba a cargo de las operaciones defensivas. Dio las órdenes rápidamente y en contados minutos, cada animal ocupaba su puesto de combate.

Cuando los seres humanos se acercaron a los edificios de la granja, Snowball lanzó su primer ataque. Todas las palomas —eran unas treinta y cinco— volaban sobre las cabezas de los hombres y los ensuciaban desde lo alto; y mientras los hombres estaban preocupados eludiendo lo que les caía encima, los gansos, escondidos detrás del seto, los acometieron picoteándoles las pantorrillas furiosamente. Pero aquélla era una simple escaramuza con el propósito de crear un poco de desorden, y los hombres ahuyentaron fácilmente a los gansos con sus palos. Snowball lanzó la segunda línea de ataque: Muriel, Benjamín y todas las ovejas, con Snowball a la cabeza, avanzaron embistiendo y achuchando a los hombres desde todos lados, mientras Benjamín se volvió y comenzó a repartir coces con sus patas traseras. Pero de nuevo los hombres, con sus palos y sus botas claveteadas, fueron demasiado fuertes para ellos, y repentinamente, al oírse el chillido de Snowball, que era la señal para retirarse, todos los animales dieron media vuelta y se metieron por el portón, en el patio.

Los hombres lanzaron un grito de triunfo. Vieron —es lo que imaginaron— a sus enemigos en fuga y corrieron tras ellos en desorden. Eso era precisamente lo que Snowball esperaba. Tan pronto como estuvieron dentro del patio, los tres caballos, las tres vacas y los demás cerdos, que habían estado al acecho en el establo de las vacas, aparecieron repentinamente detrás de ellos, cortándoles la retirada. Snowball dio la señal para la carga. Él mismo acometió a Jones. Éste lo vio venir, apuntó con su escopeta e hizo fuego. Los perdigones dejaron su huella sangrienta en el lomo de Snowball, y una oveja cayó muerta. Sin vacilar un instante, Snowball lanzó sus quince arrobas contra las piernas de Jones, que fue a caer sobre una pila de estiércol mientras la escopeta se le escapó de las manos. Pero el espectáculo más aterrador lo ofrecía Boxer, encabritado sobre sus cuartos traseros y coceando como un semental con sus enormes cascos herrados. Su primer golpe lo recibió en la cabeza un mozo de la caballeriza de "Foxwood", quedando tendido exánime en el barro. Al ver este cuadro, varios hombres dejaron caer sus palos e intentaron escapar. Pero los agarrotó el pánico y, al momento, los animales estaban corriendo tras ellos por todo el patio. Fueron corneados, coceados, mordidos, pisados. No hubo ni un animal en la granja que no se vengara a su manera. Hasta la gata saltó repentinamente desde una azotea sobre la espalda de un vaquero y le clavó sus garras en el cuello, haciéndolo gritar horriblemente. En el momento en que la salida estuvo clara, los hombres se alegraron de poder escapar del patio y huir como un rayo hacia el camino principal. Y así, a los cinco minutos de su invasión, se hallaban en vergonzosa retirada por la misma vía de acceso, con una bandada de gansos picoteándoles las pantorrillas a lo largo de todo el camino.

Todos los hombres se habían ido, menos uno. Allá en el patio, Boxer estaba empujando con la pata al mozo de caballeriza que yacía boca abajo en el barro, tratando de darle vuelta. El muchacho no se movía.

—Está muerto —dijo Boxer tristemente—. No tuve intención de hacerlo. Me olvidé de que tenía herraduras. ¿Quién va a creer que no hice esto adrede?

—Nada de sentimentalismo, camarada —gritó Snowball, de cuyas heridas aún manaba sangre—. La guerra es la guerra. El único ser humano bueno es el que ha muerto.

—Yo no deseo quitar una vida, ni siquiera humana —repitió Boxer con los ojos llenos de lágrimas.

—¿Dónde está Mollie? —inquirió alguien.

En efecto, faltaba Mollie. Por un momento se produjo una gran alarma; se temió que los hombres la hubieran lastimado de alguna forma, o tal vez que se la hubieran llevado consigo. Al final, la encontraron escondida en su casilla, en el establo, con la cabeza enterrada en el heno del pesebre. Se había escapado tan pronto como sonó el tiro de la escopeta. Y, cuando los otros retornaron de su búsqueda, se encontraron con que el mozo de caballeriza, que en realidad sólo estaba aturdido, se había repuesto y huido. Los animales se congregaron muy exaltados, cada uno contando a voz en grito sus hazañas en la batalla. Enseguida se realizó una celebración improvisada de la victoria. Se izó la bandera y se cantó varias veces "Bestias de Inglaterra", y luego se le dio sepultura solemne a la oveja que murió en la acción, plantándose una rama de espino sobre su tumba. En dicho acto Snowball pronunció un discurso, recalcando la necesidad de que todos los animales estuvieran dispuestos a morir por "Granja Animal", si ello fuera necesario.

Los animales decidieron unánimemente crear una condecoración militar: "Héroe Animal, de Primer Grado", que les fue conferida en ese mismo instante a Snowball y Boxer. Consistía en una medalla de bronce (en realidad eran unos adornos de bronce para caballerías encontrados en el guadarnés) , que debía usarse los domingos y días de fiesta. También se creó la de "Héroe Animal, de Segundo Grado", que le fue otorgada póstumamente, a la oveja muerta.

Se discutió mucho acerca del nombre que debía dársele a la batalla. Al final se la llamó la "Batalla del Establo de las Vacas", pues fue allí donde se realizó la emboscada. La escopeta del señor Jones fue hallada en el barro y se sabía que en la casa había proyectiles. Se decidió colocar la escopeta al pie del mástil, como si fuera una pieza de artillería, y dispararla dos veces al año; una vez, el cuatro de octubre, aniversario de la "Batalla del Establo de las Vacas", y la otra, el día de San Juan, aniversario de la rebelión.

V

A medida que se acercaba el invierno, Mollie se volvió más y más conflictiva. Llegaba tarde al trabajo por las mañanas con el pretexto de que se había quedado dormida, quejándose de dolencias misteriosas, aun cuando su apetito era excelente. Con cualquier excusa escapaba del trabajo para ir al bebedero, donde se quedaba parada mirando su reflejo en el agua como una boba. Pero también había rumores de algo más serio. Un día que Mollie entraba alegremente en el patio, moviendo su larga cola y mascando un tallo de heno, Clover la llamó a un lado.

—Mollie —le dijo—, tengo algo muy serio que decirte. Esta mañana te vi mirando por encima del seto que separa a "Granja Animal" de "Foxwood". Uno de los hombres del señor Pilkington estaba situado al otro lado del seto. Y yo estaba a cierta distancia, pero estoy casi segura de haberte visto: él te estaba hablando y tú le permitías que te acariciara. ¿Qué significa eso, Mollie?

—¡Él no hizo nada! ¡Yo no estaba! ¡Eso no es verdad! —gritó Mollie, haciendo cabriolas y pateando el suelo.

—¡Mollie! Mírame a la cara. ¿Puedes darme tu palabra de honor de que ese hombre no te estaba acariciando el hocico?

—¡No es verdad! —repitió Mollie, pero no podía mirar a la cara a Clover, y al instante se escapó, huyendo al galope hacia el campo.

A Clover se le ocurrió algo. Sin decir nada a nadie, se fue a la cuadra de Mollie y revolvió la paja con su pata. Escondido bajo la paja, había un montoncito de terrones de azúcar y varias tiras de cintas de distintos colores. Tres días después Mollie desapareció. Durante varias semanas no se supo nada respecto a su paradero; luego las palomas informaron que la habían visto al otro lado de Willingdon. Estaba atalajada entre las varas de un coche elegante pintado de rojo y negro, que se encontraba detenido ante una taberna.

Un hombre gordo, de cara colorada, con bombachos a cuadros y polainas, que parecía un tabernero, le acariciaba el hocico y le daba de comer azúcar. El pelaje de Mollie estaba recién cortado, y llevaba una cinta escarlata en las crines. "Daba la impresión de que estaba a gusto", dijeron las palomas. Ninguno de los animales volvió a mencionar a Mollie. En enero hizo muy mal tiempo. La tierra parecía de hierro y no se podía hacer nada en el campo. Se realizaron muchas reuniones en el granero principal; los cerdos se ocuparon en formular planes para la temporada siguiente. Se llegó a aceptar que los cerdos, que eran manifiestamente más inteligentes que los demás animales, resolverían todas las cuestiones referentes al manejo de la granja, aunque sus decisiones debían ser ratificadas por mayoría de votos. Este arreglo hubiera resultado bastante bien a no ser por las discusiones entre Snowball y Napoleón. Los dos estaban en desacuerdo en todos los puntos donde era posible que hubiera discrepancia. Si uno de ellos sugería sembrar un mayor número de hectáreas con cebada, con toda seguridad que el otro iba a exigir superior número de superficie con avena; y si uno afirmaba que tal o cual terreno estaba en buenas condiciones para el repollo, el otro decía que lo más adecuado era sembrar nabos. Cada cual tenía sus partidarios y por ello en cada reunión se registraban debates violentos.

En muchas ocasiones, Snowball con sus brillantes discursos llegó a convencer a la mayoría pero Napoleón le ganaba, cuando se trataba de obtener apoyo al margen de las sesiones. Hecho curioso fue el sucedido con las ovejas quienes adquirieron la costumbre de balar "Cuatro patas sí, dos pies no" en cualquier momento, interrumpiendo con ello la reunión. Y se notó que esto ocurría precisamente en momentos decisivos de los discursos de Snowball. Éste había hecho un estudio profundo de algunos números atrasados de la revista "Granjero y Ganadero" encontrados en la casa y estaba lleno de planes para realizar innovaciones y mejoras. Hablaba como un erudito, de zanjas de desagüe, ensilados y abonos básicos, y había elaborado un complicado sistema para que todos los animales dejaran caer su estiércol directamente sobre los campos, y cada día en un lugar distinto, con objeto de ahorrar el trabajo de transportarlo. Napoleón no presentó ningún plan propio, pero decía tranquilamente que los de Snowball se quedarían en nada y su actitud era la del que parece esperar algo. Pero de todas sus controversias, ninguna fue tan enconada como la que tuvo lugar respecto al molino de viento.

En la larga pradera, cerca de los edificios, había una pequeña loma que era el punto más alto de la granja. Después de estudiar el terreno, Snowball declaró que aquél era el lugar indicado para un molino de viento, con el cual se podía hacer funcionar una dinamo y suministrar electricidad para la granja.

Esta daría luz para las cuadras de los animales y las calentaría en invierno, y también haría funcionar una sierra circular, una desgranadora, una cortadora, una ordeñadora eléctrica, etc. Los animales nunca habían oído hablar de esas cosas (porque la granja era anticuada y contaba con la maquinaria más primitiva), y escuchaban asombrados a Snowball mientras éste les describía cuadros de maquinarias fantásticas que trabajarían por ellos, mientras pastaban tranquilamente en los campos o perfeccionaban sus mentes mediante la lectura y la conversación.

En pocas semanas los planos de Snowball para el molino de viento estaban completados. Los detalles técnicos provenían principalmente de tres libros que habían pertenecido al señor Jones: "Mil cosas útiles que realizar en la casa", "Cada hombre puede ser su albañil" y "Electricidad para principiantes". Como estudio, utilizó Snowball un cobertizo que en un tiempo se había usado para incubadoras y tenía un suelo liso de madera, apropiado para dibujar. Se encerraba en él durante horas enteras. Mantenía sus libros abiertos gracias a una piedra y, empuñando un pedazo de tiza, se movía rápidamente de un lado a otro, dibujando línea tras línea y profiriendo pequeños chillidos de entusiasmo. Gradualmente sus planos se transformaron en una masa complicada de manivelas y engranajes que cubrían más de la mitad del suelo, y que los demás animales encontraron completamente indescifrable, pero muy impresionante. Todos iban a mirar los planos de Snowball por lo menos una vez al día. Hasta las gallinas y los patos lo hicieron y tuvieron sumo cuidado de no pisar los trazos hechos con tiza. Únicamente Napoleón se mantenía a distancia. Él se había declarado en contra del molino de viento desde el principio. Un día, sin embargo, llegó en forma inesperada con el propósito de examinar los planos. Caminó pesadamente por allí, observó con cuidado cada detalle, y hasta olfateó en una o dos oportunidades; después se paró un rato, mientras los contemplaba de reojo; luego, repentinamente levantó la pata, hizo aguas menores sobre los planos y se alejó sin decir palabra.

Toda la granja estaba muy dividida en el asunto del molino de viento. Snowball no negaba que la construcción significaría un trabajo difícil. Tendrían que extraer piedras de la cantera y con ellas levantar paredes, luego construir las aspas y después de todo eso, necesitarían dinamos y cables (de qué modo se obtendrían esas cosas, Snowball no lo decía). Pero sostenía que todo podría hacerse en un año. Y en adelante, declaró, se ahorraría tanto trabajo, que los animales sólo tendrían tres días laborables por semana. Napoleón, por el contrario, sostenía que la gran necesidad del momento era aumentar la producción de comestibles, y que si perdían el tiempo con el molino de viento, se morirían todos de hambre. Los animales se agruparon en dos facciones bajo los lemas: "Vote por Snowball y la semana de tres días" y "Vote por Napoleón y el pesebre lleno". Benjamín era el único animal que no se alistó en ninguno de los dos bandos.

Se negó a creer que habría más abundancia de comida o que el molino de viento ahorraría trabajo. "Con molino o sin molino —dijo—, la vida seguirá como siempre ha sido, es decir, un desastre."

Aparte de las discusiones referentes al molino, estaba la cuestión de la defensa de la granja. Se comprendía perfectamente que aunque los seres humanos habían sido derrotados en la "Batalla del Establo de las Vacas", podrían hacer otra tentativa, más resuelta que la anterior, para recuperar la granja y restaurar al señor Jones. Tenían aún mayores motivos para hacerlo, pues la noticia de la derrota se difundió por los alrededores y había vuelto a los animales más descontentos que nunca.

Como de costumbre, Snowball y Napoleón estaban en desacuerdo. Según Napoleón, lo que debían hacer los animales era procurar la obtención de armas de fuego y adiestrarse en su manejo. Snowball opinaba que debían mandar cada vez más palomas y fomentar la rebelión entre los animales de las otras granjas. Uno argumentaba que si no podían defenderse estaban destinados a ser conquistados; el otro argüía que si había rebeliones en todas partes no había necesidad de defenderse. Los animales escuchaban primeramente a Napoleón, luego a Snowball, y no podían decidir quién tenía razón; a decir verdad, siempre estaban de acuerdo con el que les estaba hablando en aquel momento.

Al fin llegó el día en que Snowball completó sus planos. En la reunión del domingo siguiente se iba a poner a votación si se comenzaba o no a construir el molino de viento. Cuando los animales estaban reunidos en el granero principal, Snowball se levantó y, aunque de vez en cuando era interrumpido por los balidos de las ovejas, expuso sus razones para defender la construcción del molino. Luego Napoleón se levantó para contestar. Dijo tranquilamente que el molino de viento era una tontería y que él aconsejaba que nadie lo votara. Y se sentó, acto seguido; apenas había hablado treinta segundos, y parecía indiferente en cuanto al efecto que había producido. A continuación, Snowball se puso de pie de un salto, y gritando para poder ser oído a pesar de las ovejas, que nuevamente habían comenzado a balar, se desató en un alegato apasionado a favor del molino de viento. Hasta entonces los animales estaban divididos más o menos por igual en sus simpatías, pero en un instante, la elocuencia de Snowball los había convencido. Con frases ardientes les pintó un cuadro de cómo podría ser "Granja Animal" cuando el vil trabajo fuera aligerado de las espaldas de los animales. Su imaginación había ido mucho más allá de las desgranadoras y las segadoras. "La electricidad —dijo— podría mover las trilladoras, los arados, las rastrilladoras, los rodillos, las segadoras y las atadoras, además de suministrar a cada cuadra su propia luz eléctrica, agua fría y caliente, y un calentador eléctrico." Cuando dejó de hablar, no quedaba duda alguna sobre el resultado de la votación. Pero inmediatamente se levantó Napoleón y, lanzando una extraña mirada de reojo a Snowball, emitió un chillido agudo y estridente como nunca se le había oído articular.

Acto seguido se escucharon unos terribles ladridos que llegaban desde fuera y nueve enormes perros que llevaban puestos unos collares tachonados con clavos, irrumpieron en el granero. Y se lanzaron directamente sobre Snowball quien saltó de su sitio con el tiempo justo para esquivar sus feroces colmillos. En un instante estaba al otro lado de la puerta con los perros tras él. Demasiado asombrados y asustados para poder decir nada, todos los animales se agolparon en la puerta para observar la persecución. Snowball huía a todo correr a través de la larga pradera que conducía a la carretera. Corría como sólo puede hacerlo un cerdo, pero los perros iban pisándole los talones. De repente patinó y pareció que iba a ser presa segura de los perros, pero apenas recuperó su equilibrio siguió corriendo más veloz que nunca aunque los sabuesos iban ganándole terreno nuevamente. Uno de ellos estaba a punto de cerrar sus mandíbulas mordiendo la cola de Snowball pero éste pudo hurtarla a tiempo de la dentellada. Y haciendo un esfuerzo supremo logró escabullirse por un agujero del seto, poniéndose a salvo de este modo.

Silenciosos y aterrados, los animales volvieron sigilosamente al granero. También los perros retornaron dando grandes brincos. Al principio nadie pudo imaginarse de dónde procedían aquellas bestias, pero el problema fue aclarado enseguida; eran los cachorros que Napoleón había quitado a sus madres y criado en secuestro. Aunque aún no estaban completamente desarrollados, eran unos perros inmensos y fieros como lobos. No se alejaban nunca de Napoleón. Y se observó que ante él meneaban la cola como los otros perros acostumbraban hacerlo con el señor Jones.

Napoleón, con los canes tras él, subió a la plataforma que ocupara Mayor cuando pronunció su histórico discurso. Anunció que desde ese momento se habían terminado las reuniones de los domingos por la mañana. Eran innecesarias, dijo, y hacían perder tiempo. En el futuro todas las cuestiones relacionadas con el gobierno de la granja serían resueltas por una comisión especial de cerdos, presidida por él. Éstos se reunirían en consejo y luego comunicarían sus decisiones a los demás. Los animales se reunirían los domingos por la mañana para saludar la bandera, cantar "Bestias de Inglaterra" y recibir sus órdenes para la semana; pero no habría más debates. Si la expulsión de Snowball les produjo una gran impresión, este anuncio consternó a los animales. Algunos de ellos habrían protestado si hubieran dispuesto de los argumentos apropiados. Hasta Boxer estaba un poco aturdido. Apuntó sus orejas hacia atrás, agitó su melena varias veces y trató con esfuerzo de ordenar sus pensamientos; pero al final no se le ocurrió nada que decir.

Algunos cerdos, sin embargo, fueron más expresivos. Cuatro jóvenes puercos de la primera fila emitieron agudos gritos de desaprobación, y todos ellos se pusieron en pie bruscamente y comenzaron a hablar al mismo tiempo. Pero, repentinamente, los perros que estaban sentados alrededor de Napoleón dejaron oír unos profundos gruñidos amenazadores y los cerdos se callaron, volviéndose a sentar. Entonces las ovejas irrumpieron con un tremendo balido de "¡Cuatro patas sí, dos pies no!", que continuó durante casi un cuarto de hora y puso fin a todo intento de discusión.

Luego Squealer fue enviado por toda la granja para explicar las nuevas decisiones a los demás. —Camaradas —dijo —, espero que todos los animales presentes se darán cuenta y apreciarán el sacrificio que ha hecho el camarada Napoleón al cargar con este trabajo adicional. ¡No se crean, camaradas, que ser jefe es un placer! Por el contrario, es una honda y pesada responsabilidad. Nadie cree más firmemente que el camarada Napoleón el principio de que todos los animales son iguales. Estaría muy contento de dejarles tomar sus propias determinaciones. Pero algunas veces podrían ustedes adoptar decisiones equivocadas, camaradas. ¿Y dónde estaríamos entonces nosotros? Supónganse que ustedes se hubieran decidido seguir a Snowball, con sus disparatados molinos; Snowball, que como sabemos ahora, no era más que un criminal...

—Él peleó valientemente en la "Batalla del Establo de las Vacas" —dijo alguien.

—La valentía no es suficiente —afirmó Squealer—. La lealtad y la obediencia son más importantes. Y en cuanto a la "Batalla del Establo de las Vacas", yo creo que llegará un día en el que demostraremos que el papel desempeñado por Snowball ha sido muy exagerado. ¡Disciplina, camaradas, disciplina férrea! Ésa es la consigna para hoy. Un paso en falso, y nuestros enemigos caerían sobre nosotros. Seguramente, camaradas, que ustedes no desean el retorno de Jones, ¿verdad?

Nuevamente este argumento resultó irrebatible. Claro está que los animales no querían que volviera Jones; si la realización de los debates, los domingos por la mañana, podía implicar su regreso, entonces debían suprimirse los debates. Boxer, que había tenido tiempo de coordinar sus ideas, expresó la opinión general diciendo: "Si el camarada Napoleón lo dice, debe estar en lo cierto". Y desde ese momento adoptó la consigna: "Napoleón siempre tiene razón", además de su lema particular: "Trabajaré más fuerte". Para entonces el tiempo había cambiado y comenzó la roturación de primavera. El cobertizo donde Snowball dibujara los planos del molino de viento fue clausurado y se suponía que los planos habían sido borrados del suelo. Todos los domingos, a las diez de la mañana, los animales se reunían en el granero principal con el fin de recibir sus órdenes para la semana. El cráneo del Viejo Mayor, ya sin rastros de carne, había sido desenterrado de la huerta y colocado sobre un poste al pie del mástil, junto a la escopeta. Después de izar la bandera, los animales debían desfilar en forma reverente ante el cráneo, antes de entrar en el granero. Ya no se sentaban todos juntos, como solían hacerlo anteriormente.

Napoleón, con Squealer y otro cerdo llamado Mínimus, que poseía un don extraordinario para componer canciones y poemas, se sentaban sobre la plataforma, con los nueve perros formando un semicírculo alrededor, y los otros cerdos se situaban tras ellos. Los demás animales se colocaban enfrente, en el cuerpo principal del granero. Napoleón les leía las órdenes para la semana en un áspero estilo militar, y después de cantar una sola vez "Bestias de Inglaterra", todos los animales se dispersaban.

El tercer domingo después de haber expulsado a Snowball, los animales se sorprendieron un poco al oír a Napoleón anunciar que, después de todo, el molino de viento sería construido. No dio ninguna explicación por aquel cambio de parecer, pero simplemente advirtió a los animales que esta tarea extraordinaria significaría un trabajo muy duro; tal vez sería necesario reducir sus raciones. Los planos, sin embargo, habían sido preparados hasta el menor detalle. Una comisión especial de cerdos estuvo trabajando sobre los mismos, durante las últimas tres semanas. La construcción del molino, junto con otras mejoras planeadas, precisaría de dos años de trabajo.

Esa misma noche, Squealer les explicó privadamente a los otros animales que en realidad Napoleón nunca había estado en contra del molino. Por el contrario, fue él quien abogó por su construcción y el plano que dibujara Snowball sobre el suelo del cobertizo de las incubadoras en verdad fue robado de los papeles de Napoleón. El molino de viento era realmente una creación del propio Napoleón. "¿Por qué, entonces —preguntó alguien—, se manifestó él tan firmemente contra su construcción?" Aquí Squealer puso cara astuta. "Eso —dijo— fue sagacidad del camarada Napoleón."

Él había *aparentado* oponerse al molino, pero simplemente como una maniobra para deshacerse de Snowball, que era un sujeto peligroso y de nociva influencia. Ahora que Snowball había sido eliminado, el plan podía llevarse adelante sin su interferencia. "Esto —dijo Squealer— es lo que se llama táctica." Repitió varias veces "¡Táctica, camaradas, táctica!", saltando y moviendo la cola con una risita alegre. Los animales no tenían certeza acerca del significado de la palabra, pero Squealer habló tan persuasivamente y tres de los perros que se hallaban con él, gruñeron en forma tan amenazante, que aceptaron su explicación sin hacer más preguntas.

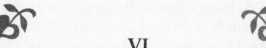

VI

Todo aquel año, los animales trabajaron como esclavos. Pero eran felices en su tarea; no escatimaron esfuerzo o sacrificio, pues bien sabían que todo lo que ellos hacían era para su propio beneficio y para los de su misma especie que vendrían después, y no para unos cuantos seres humanos rapaces y haraganes.

Durante toda la primavera y el verano trabajaron sesenta horas por semana, y en agosto Napoleón anunció que también tendrían que trabajar los domingos por la tarde. Ese trabajo era estrictamente voluntario, pero el animal que no concurriera vería reducida su ración a la mitad. Aun así, fue necesario dejar varias tareas sin hacer. La cosecha fue algo menos abundante que el año anterior, y dos parcelas que debían haberse sembrado con nabos, a principios del verano, no lo fueron porque no se terminaron de arar a tiempo. Era fácil prever que el invierno siguiente sería duro.

El molino de viento presentó dificultades inesperadas. Había una buena cantera de piedra caliza en la granja, y se encontró bastante arena y cemento en una de las dependencias, de modo que tenían a mano todos los materiales necesarios para la construcción. Pero el problema que no pudieron resolver al principio los animales, fue el de cómo partir la piedra en pedazos de tamaño apropiado. Aparentemente no había forma de hacerlo, excepto con picos y palancas de hierro, que no podían usar, porque ningún animal estaba en condiciones de sostenerse sobre sus patas traseras. Después de varias semanas de esfuerzos inútiles, se le ocurrió a uno la idea adecuada, a saber utilizar la fuerza de la gravedad. Inmensas piedras, demasiado grandes para usarlas tal como estaban, se encontraban por todas partes en el fondo de la cantera. Los animales las amarraban con sogas, y luego todos juntos, vacas, caballos, ovejas, cualquiera que pudiera tirar de la soga —hasta los cerdos a veces colaboraban en los momentos críticos— las arrastraban con una lentitud desesperante por la ladera hasta la cumbre de la cantera, desde donde las dejaban caer por el borde, para que se rompieran en pedazos al chocar con el fondo. El trabajo de transportar la piedra una vez partida era relativamente sencillo. Los caballos llevaban los trozos en carretas, las ovejas las arrastraban una a una, y hasta Muriel y Benjamín, tirando de un viejo sulky, hacían su parte. A fines de verano habían acumulado una buena provisión de piedra, y fue entonces cuando se inició la construcción del molino, bajo la supervisión de los cerdos.

Era un proceso lento y laborioso. Frecuentemente les ocupaba un día entero de esfuerzo agotador, arrastrar una sola piedra hasta la cumbre de la cantera, y a veces, cuando la tiraban por el precipicio, no se rompía. No hubieran podido lograr nada sin Boxer, cuya fuerza parecía igualar a la de todos los demás animales juntos. Cuando la piedra empezaba a resbalar y los animales gritaban desesperados al verse arrastrados por la ladera hacia abajo, era siempre Boxer el que tirando de la soga como un forzado, lograba detener la piedra. Verlo arrastrando hacia arriba por la pendiente, pulgada tras pulgada, jadeante, clavando las puntas de sus cascos en la tierra, y sus enormes flancos sudorosos, llenaba a todos de admiración. Clover a veces le advertía que tuviera cuidado y no se esforzara demasiado, pero Boxer jamás le hacía caso. Sus dos lemas: "Trabajaré más fuerte" y "Napoleón siempre tiene razón", le parecían respuesta satisfactoria para todos los problemas. Se había puesto de acuerdo con el gallo para que éste lo despertara por la mañana tres cuartos de hora más temprano, en vez de media hora. Y en sus ratos libres, de los cuales disponía de muy pocos en esos días, se iba a la cantera, juntaba un montón de pedazos de piedra y lo arrastraba por sí solo hasta el emplazamiento del molino.

Los animales no lo pasaron tan mal durante todo ese verano, a pesar de la dureza de su trabajo. Si no disponían de más comida de la que habían dispuesto en los tiempos de Jones, tampoco tenían menos. La ventaja de alimentarse a sí mismos y no tener que mantener también a cinco seres humanos inútiles, era tan grande, que se habrían necesitado incontables fracasos para perderla. Y en muchas situaciones, el método animal de hacer las cosas era más eficiente que el humano y ahorraba trabajo. Algunas tareas, como por ejemplo extirpar la maleza, se podían hacer con una eficacia imposible para los seres humanos. Y además, dado que ningún animal robaba, no fue necesario hacer alambradas para separar los prados de la tierra cultivable, lo que economizó mucho trabajo en la conservación de los setos y las vallas. Sin embargo, a medida que avanzaba el verano, se empezó a sentir la escasez imprevista de varias cosas. Había necesidad de aceite de parafina, clavos, bizcochos para los perros y hierro para las herraduras de los caballos, nada de lo cual se podía producir en la granja.

Más adelante también habría necesidad de semillas y abonos artificiales, además de diversas herramientas y, finalmente, lo más importante: la maquinaria para el molino de viento. Nadie podía imaginar cómo se iban a obtener todos estos artículos.

Un domingo por la mañana, cuando los animales se reunieron para recibir órdenes, Napoleón anunció que había decidido adoptar un nuevo sistema. En adelante, "Granja Animal" iba a negociar con las granjas vecinas; y no por supuesto con algún propósito comercial, sino simplemente con el fin de obtener ciertos materiales que hacían falta con urgencia. "Las necesidades del molino están por encima de todo lo demás", afirmó. En consecuencia, estaba tomando las medidas necesarias para vender una parte del heno y otra de la cosecha de trigo de ese año, y más adelante, si necesitaban más dinero, tendrían que obtenerlo mediante la venta de huevos, para los cuales siempre había mercado en Willingdon. "Las gallinas —dijo Napoleón— debían recibir con agrado este sacrificio como una aportación especial a la construcción del molino."

Nuevamente los animales se sintieron presos de una vaga inquietud. "Nunca tener trato alguno con los humanos, nunca dedicarse a comerciar, nunca usar dinero", ¿no fueron ésas las primeras resoluciones adoptadas en aquella reunión triunfal, después de haber expulsado a Jones? Todos los animales recordaron haber aprobado tales resoluciones o por lo menos, creían recordarlo. Los cuatro jóvenes cerdos que habían protestado cuando Napoleón abolió las reuniones, levantaron sus voces tímidamente, pero fueron silenciados de inmediato por el feroz gruñido de los perros. Entonces, como de costumbre, las ovejas irrumpieron con su "¡Cuatro patas sí, dos pies no!" y su cantinela se impuso. Finalmente, Napoleón levantó la pata para imponer silencio y anunció que ya había decidido todos los convenios. No habría necesidad de que ninguno de los animales entrara en contacto con los seres humanos, lo que sería indeseable. Tenía la intención de tomar todo el peso de las decisiones sobre sus propios hombros. Un tal señor Whymper, un comisionista que vivía en Willingdon, había accedido a actuar de intermediario entre "Granja Animal" y el mundo exterior, y visitaría la granja todos los lunes por la mañana para recibir instrucciones. Napoleón finalizó su discurso con su grito acostumbrado de "¡Viva la "Granja Animal"!", y después de cantar "Bestias de Inglaterra", despidió a los animales.

Luego Squealer dio una vuelta por la granja y les tranquilizó. Les aseguró que la resolución prohibiendo comerciar y usar dinero nunca había sido aprobada, ni siquiera sugerida. Era pura imaginación, probablemente atribuible a mentiras difundidas por Snowball. Algunos animales aún tenían ciertas dudas, pero Squealer les preguntó astutamente: "¿Están seguros de que eso no es algo que han soñado, camaradas? ¿Tienen constancia de tal resolución? ¿Está anotado en alguna parte?". Y puesto que era cierto que nada de eso constaba por escrito, los animales quedaron convencidos de que estaban equivocados.

Todos los lunes el señor Whymper visitaba la granja, tal como se había convenido. Era un hombre bajito, astuto, de patillas anchas, un comisionista al por menor, pero lo suficientemente listo para darse cuenta, antes que cualquier otro, que "Granja Animal" iba a necesitar un agente y que las comisiones valdrían la pena. Los animales observaban su ir y venir con cierto temor, y lo eludían en todo lo posible. Sin embargo, la visión de Napoleón, sobre sus cuatro patas, dándole órdenes a Whymper, que se tenía sobre sus dos pies, despertó su orgullo y los reconcilió en parte con la nueva situación.

Sus relaciones con la raza humana no eran como habían sido antes. Los seres humanos, por su parte, no odiaban menos a "Granja Animal", ahora que estaba prosperando; al contrario, la odiaban más que nunca. Cada ser humano tenía por seguro que, tarde o temprano, la granja iba a declararse en quiebra, y sobre todo, que el molino de viento sería un fracaso. Se reunían en las tabernas y se demostraban los unos a los otros, por medio de diagramas, que el molino estaba destinado a caerse o, si se mantenía en pie, que jamás funcionaría. Y, sin embargo, contra sus deseos, llegaron a tener cierto respeto por la eficacia con que los animales estaban administrando sus propios asuntos. Uno de los síntomas de esto fue que empezaron a llamar a "Granja Animal" por su verdadero nombre y dejaron de pretender que se llamara "Granja Manor". También desistieron de apoyar a Jones, el cual había perdido las esperanzas de recuperar su granja y se fue a vivir a otro lugar del país. Exceptuando a Whymper, aún no existía contacto alguno entre "Granja Animal" y el mundo exterior, pero ya circulaban constantes rumores de que Napoleón iba a celebrar definitivamente un convenio comercial con el señor Pilkington, de "Foxwood", o con el señor Frederick de "Pinchfield"; pero nunca —se hacía constar— con los dos simultáneamente.

Fue más o menos en esa época cuando los cerdos, repentinamente se mudaron a la casa de la granja y establecieron allí su residencia. De nuevo los animales creyeron recordar que en los primeros tiempos se había aprobado una resolución en contra de tal medida, y de nuevo Squealer hubo de convencerlos de que no era así. Resultaba absolutamente necesario —dijo él—, que los cerdos, que eran el cerebro de la granja, dispusieran de un lugar tranquilo para trabajar.

También era más apropiado para la dignidad del Líder (porque últimamente había comenzado a referirse a Napoleón con el título de "Líder") que viviera en una casa en vez de en una simple pocilga. No obstante, algunos animales se molestaron al saber que los cerdos, no solamente comían en la cocina y usaban la sala como lugar de recreo, sino que también dormían en las camas. Boxer lo pasó por alto, como de costumbre, repitiendo "¡Napoleón siempre tiene razón!", pero Clover, que creyó recordar una disposición concreta contra las camas, fue hasta el extremo del granero e intentó descifrar los siete mandamientos, que estaban allí escritos. Al ver que sólo podía leer las letras una por una, trajo a Muriel.

—Muriel —le dijo—, por favor, léeme el cuarto mandamiento. ¿No dice algo respecto a no dormir nunca en una cama?

Con un poco de dificultad, Muriel lo deletreó.

—Dice: "ningún animal dormirá en una cama con sábanas".

Lo curioso era que Clover no recordaba que el cuarto mandamiento mencionara las sábanas; pero como figuraba en la pared, debía de haber sido así. Y Squealer, que pasaba en aquel momento por allí, acompañado por dos o tres perros, pudo aclarar el asunto y dejarlo en su lugar.

—Ustedes han oído, camaradas —dijo—, que nosotros los cerdos dormimos ahora en las camas de la casa. ¿Y por qué no? No supondrán, seguramente, que hubo alguna vez una disposición contra las camas. Una cama quiere decir simplemente un lugar para dormir. Por ejemplo: una pila de paja en un establo es una cama. La resolución fue contra las sábanas, que son un invento de los seres humanos. Hemos quitado las sábanas de las camas de la casa y dormimos entre mantas. ¡Y en verdad que son camas muy cómodas! Pero no son más de lo que necesitamos, puedo afirmar camaradas, considerando todo el trabajo cerebral que tenemos hoy en día. No querrán privarnos de nuestro reposo, ¿verdad, camaradas? No nos querrán tan cansados como para no cumplir con nuestros deberes. Sin duda, ninguno de ustedes deseará que vuelva Jones.

Los animales lo tranquilizaron inmediatamente y no se habló más del tema respecto a que los puercos durmieran en las camas de la casa. Y cuando, días después, se anunció que en adelante los cerdos se levantarían por la mañana una hora más tarde que los demás animales, tampoco hubo queja alguna al respecto.

Cuando llegó el otoño, los animales estaban cansados pero contentos. Habían tenido un año difícil y después de la venta de parte del heno y del maíz, las provisiones de víveres no fueron tan abundantes, pero el molino lo compensó todo. Estaba ya casi construido. Después de la cosecha tuvieron una temporada de tiempo seco y despejado, y los animales trabajaron más duramente que nunca, opinando que bien valía la pena correr de acá para allá todo el día con bloques de piedra, si haciendo eso podían levantar las paredes a un pie más de altura. Boxer, hasta salía a veces de noche y trabajaba una hora o dos por su cuenta a la luz de la luna. En sus ratos libres los animales daban vueltas y más vueltas alrededor del molino a punto de ser terminado, admiraban la fortaleza y verticalidad de sus paredes y maravillándose de que ellos alguna ocasión hubieran podido construir algo tan imponente. Únicamente el viejo Benjamín se negaba a entusiasmarse con el molino, aunque como de costumbre, insistía en su enigmática afirmación de que los burros vivían mucho tiempo.

Llegó noviembre, con sus furiosos vientos del sudoeste. Tuvieron que parar la construcción porque había demasiada humedad para mezclar el cemento. Y vino una noche en la que el ventarrón fue tan violento que los edificios de la granja temblaron sobre sus cimientos y varias tejas fueron arrancadas de la cubierta del granero. Las gallinas despertaron cacareando de terror porque todas soñaron haber oído algo así como el estampido de un cañón a lo lejos. Por la mañana los animales salieron de sus cuadras y se encontraron con el mástil derribado y un olmo, que estaba al pie de la huerta, arrancado de cuajo. Apenas habían visto esto cuando un grito de desesperación brotó de sus gargantas. Un cuadro terrible se ofrecía a su vista. El molino estaba en ruinas.

Todos se abalanzaron hacia el lugar. Napoleón, que rara vez se apresuraba al caminar, corría a la cabeza de todos ellos. Sí, allí yacía el fruto de todos sus esfuerzos, demolido hasta sus cimientos; las piedras, que habían roto y trasladado tan empeñosamente estaban desparramadas por todas partes. Incapaces al principio de articular palabra, no hacían más que mirar tristemente los cascotes caídos en desorden. Napoleón andaba de un lado a otro en silencio, olfateando el suelo de vez en cuando. Su cola se había puesto rígida y se movía nerviosamente a derecha e izquierda, señal de su intensa actividad mental. Repentinamente se paró como si hubiera visto claro el origen de aquel desastre.

—Camaradas —dijo con voz tranquila—, ¿saben quién es el responsable de todo esto? ¿Saben quién es el enemigo que ha venido durante la noche y tirado abajo nuestro molino? ¡Snowball! —rugió repentinamente con voz de trueno—. ¡Snowball ha hecho esto! Por pura maldad, creyendo que iba a arruinar nuestros planes y vengarse por su ignominiosa expulsión, ese traidor se arrastró hasta aquí al amparo de la oscuridad y destruyó nuestro trabajo de casi un año. Camaradas, en este momento y lugar, yo sentencio a muerte a Snowball. Recompensaré y nombraré "Héroe Animal de Segundo Grado" y gratificaré con medio *bushel* de manzanas, al animal que lo traiga muerto. Todo un *bushel,* al que lo capture vivo.

Los animales quedaron horrorizados al enterarse de que Snowball pudiera ser culpable de tamaña acción. Hubo un grito de indignación y todos comenzaron a idear la manera de atrapar a Snowball, si alguna vez lo encontraban. Casi inmediatamente se descubrieron las pisadas de un puerco en la hierba, a poca distancia de la loma. Las huellas pudieron seguirse algunos metros, pero parecían llevar hacia un agujero en el seto. Napoleón las olió bien y declaró que eran de Snowball. Opinó que Snowball probablemente había llegado procedente de la "Granja Foxwood".

—¡No hay tiempo que perder, camaradas! —gritó Napoleón una vez examinadas las huellas—. Hay mucho trabajo que realizar. Esta misma mañana comenzaremos a rehacer el molino y lo reconstruiremos durante todo el invierno, haga lluvia o buen tiempo. Le enseñaremos a ese miserable traidor que él no puede deshacer nuestro trabajo tan fácilmente. Recuerden, camaradas; no debe haber ninguna alteración en nuestros planes, que serán llevados a cabo sea como sea. ¡Adelante, camaradas! ¡Viva el molino de viento! ¡Viva "Granja Animal"!

VII

Se presentó un invierno crudo. El tiempo tormentoso fue seguido de granizo y nieve y luego por una fuerte helada que duró hasta mediados de febrero. Los animales se las arreglaron como pudieron para la reconstrucción del molino, pues bien sabían que el mundo exterior los estaba vigilando y que los envidiosos seres humanos se regocijarían y triunfarían sobre ellos, si no terminaban la obra a tiempo.

Rencorosos, los humanos fingieron no creer que fue Snowball quien había destruido el molino; afirmaron que se derrumbó porque las paredes eran demasiado delgadas. Los animales sabían que eso no era cierto. A pesar de ello, decidieron construir las paredes de un metro de espesor en lugar de medio metro como antes, lo que implicaba reunir una cantidad mucho mayor de piedras. Durante largo tiempo la cantera estuvo totalmente cubierta por una capa de nieve y no se pudo hacer nada. Se progresó algo durante el periodo seco y frío que vino después, pero era una labor cruel y los animales no se sentían optimistas como la vez anterior. Siempre tenían frío y en muchas ocasiones, hambre. Únicamente Boxer y Clover jamás perdieron el ánimo. Squealer pronunció discursos magníficos referentes al orgullo del servicio prestado y la dignidad del trabajo, pero los otros animales encontraron más inspiración en la fuerza de Boxer y en su infalible grito: "¡Trabajaré más!".

En enero escaseó la comida. La ración de maíz fue reducida drásticamente y se anunció que, en compensación, se iba a otorgar una ración suplementaria de patatas. Pero luego se descubrió que la mayor parte de la cosecha de patatas se heló por no haber sido protegida suficientemente. Los tubérculos se habían ablandado y descolorido, y muy pocos eran comestibles. Durante días enteros los animales no tenían con que alimentarse, excepto paja y remolacha. El espectro del hambre parecía mirarlos cara a cara.

Era totalmente necesario ocultar eso al mundo exterior. Alentados por el derrumbamiento del molino, los seres humanos estaban inventando nuevas mentiras respecto a "Granja Animal". Nuevamente se propagaba que todos los animales se estaban muriendo de hambre y enfermedades, que se peleaban continuamente entre sí y habían caído en el canibalismo y el infanticidio. Napoleón conocía bien las desastrosas consecuencias que acarrearía el descubrimiento de la verdadera situación alimenticia, y decidió utilizar al señor Whymper para difundir una impresión contraria. Hasta entonces los animales tuvieron poco o ningún contacto con Whymper en sus visitas semanales; sin embargo, ahora unas cuantas bestias seleccionadas, en su mayor parte ovejas, fueron instruidas para que comentaran casualmente, al alcance de su oído, que las raciones se habían incrementado. Además, Napoleón ordenó que se llenaran con arena hasta el tope, los depósitos casi vacíos de los cobertizos y que luego fueran cubiertos con lo que aún quedaba de cereales y forrajes. Mediante un pretexto adecuado, Whymper fue conducido a través de esos cobertizos permitiéndosele echar un vistazo a los depósitos. Se consiguió engañarle y continuó informando al mundo exterior que no había escasez de alimentos en "Granja Animal".

Sin embargo, a fines de enero era evidente la necesidad de obtener más cereales de alguna parte. Por aquellos días, Napoleón rara vez se presentaba en público; pasaba todo el tiempo dentro de la casa, cuyas puertas estaban custodiadas por canes de aspecto feroz. Cuando aparecía, era en forma ceremoniosa, con una escolta de seis perros que lo rodeaban de cerca y gruñían si alguien se aproximaba demasiado. Ya ni se le veía los domingos por la mañana, sino que daba órdenes por intermedio de algún otro cerdo, que generalmente era Squealer. Un domingo por la mañana, Squealer anunció que las gallinas, que comenzaban a poner nuevamente, debían entregar sus huevos. Napoleón había suscrito, por intermedio de Whymper, un contrato de venta de cuatrocientos huevos semanales. El precio de éstos alcanzaría para comprar suficiente cantidad de cereales y comida, y permitiría que la granja pudiera subsistir hasta que llegara el verano y las condiciones mejoraran.

Cuando las gallinas oyeron esto, levantaron un gran griterío. Habían sido advertidas con anterioridad de que sería necesario ese sacrificio, pero no creyeron que esta realidad llegara a ocurrir. Estaban preparando sus ponederos para empollar en primavera y protestaron expresando que quitarles los huevos era un crimen. Por primera vez desde la expulsión de Jones había algo que se asemejaba a una rebelión.

Dirigidas por tres gallinas jóvenes Black-Minorca, las gallinas inconformes hicieron un decidido intento por frustrar los deseos de Napoleón. Su protesta fue volar hasta los montantes y poner allí sus huevos, que se hacían pedazos al chocar con el suelo. Napoleón actuó rápidamente y sin piedad. Ordenó que fueran suspendidas las raciones de las gallinas y decretó que cualquier animal que diera aunque fuera un grano de maíz, a una gallina, sería castigado con la muerte. Los perros cuidaron de que las órdenes fueran cumplidas. Las gallinas resistieron durante cinco días, luego capitularon y volvieron a sus nidos. Nueve gallinas murieron, entretanto. Sus cadáveres fueron enterrados en la huerta y se comunicó que habían muerto de *coccidiosis*. Whymper no se enteró de este asunto y los huevos fueron debidamente entregados; el furgón del tendero acudía semanal mente a la granja para llevárselos.

Durante todo este tiempo no hubo señales de Snowball. Se rumoreaba que estaba oculto en una de las granjas vecinas: "Foxwood" o "Pinchfield". Napoleón mantenía mejores relaciones que antes con los otros granjeros. Y ocurrió que en el patio había una pila de madera para la construcción, que estaba allí desde hacía diez años, cuando se taló un bosque de hayas. Estaba bien mantenida y Whymper aconsejó a Napoleón que la vendiera; tanto el señor Pilkington como el señor Frederick se mostraban ansiosos por comprarla. Napoleón estaba indeciso entre los dos, incapaz de adoptar una resolución. Se notó que cuando parecía estar a punto de llegar a un acuerdo con

Frederick, se decía que Snowball estaba ocultándose en "Foxwood", y cuando se inclinaba hacia Pilkington, se afirmaba que Snowball se encontraba en "Pinchfield".

Repentinamente, a principios de primavera, se descubrió algo alarmante. ¡Snowball frecuentaba en secreto la granja por las noches! Los animales estaban tan alterados que apenas podían dormir en sus establos.

Todas las noches, se decía, él se introducía al amparo de la oscuridad y hacía toda clase de daños. Robaba el maíz, volcaba los cubos de leche, rompía los huevos, pisoteaba los semilleros, roía la corteza de los árboles frutales. Cuando algo andaba mal se hizo habitual atribuírselo siempre a Snowball. Si se rompía una ventana o se obstruía un desagüe, era cosa segura que alguien diría que Snowball durante la noche lo había hecho, y cuando se perdió la llave del cobertizo de comestibles, toda la granja estaba convencida de que Snowball la había tirado al pozo. Cosa curiosa, siguieron creyendo esto aun después de encontrarse la llave extraviada debajo de una bolsa de harina. Las vacas declararon unánimemente que Snowball se deslizó dentro de sus establos y las ordeñó mientras dormían. También se dijo que los ratones que molestaron bastante aquel invierno, estaban en connivencia con Snowball.

Napoleón dispuso que se hiciera una amplia investigación de las actividades de Snowball. Con su séquito de perros salió de inspección por los edificios de la granja, siguiéndole los demás animales a prudente distancia. Cada equis pasos, Napoleón se paraba y olía el suelo buscando rastros de las pisadas de

Snowball, las que, según dijo él, podía reconocer por el olfato. Olfateaba en todos los rincones: en el granero, en el establo de las vacas, en los gallineros, en el huerto de las legumbres y encontró rastros de Snowball por casi todos lados. Pegando el hocico al suelo, husmeaba profundamente varias veces, y exclamaba con terrible voz: "¡Snowball! ¡Él ha estado aquí! ¡Lo huelo perfectamente!", y al oír la palabra "Snowball" todos los perros dejaban oír unos gruñidos horribles y enseñaban sus colmillos.

Los animales estaban completamente asustados. Les parecía que Snowball era una especie de maleficio invisible que infestaba el aire respirable y les amenazaba con toda clase de peligros. Al anochecer, Squealer los reunió a todos, y con el rostro alterado les anunció que tenía noticias serias que comunicarles.

—¡Camaradas —gritó Squealer, dando unos saltitos nerviosos—, se ha descubierto algo terrible! ¡Snowball se ha vendido a Frederick, el de la "Granja Pinchfield", y en este momento debe estar conspirando para atacarnos y quitarnos nuestra granja! Snowball hará de guía cuando comience el ataque. Pero hay algo peor aún: Nosotros habíamos creído que la rebelión de Snowball fue motivada simplemente por su vanidad y ambición, pero estábamos equivocados, camaradas. ¿Saben cuál era la verdadera razón? ¡Snowball estaba de acuerdo con Jones desde el comienzo! Fue agente secreto de Jones desde siempre. Esto ha sido comprobado por documentos que dejó abandonados y que ahora hemos descubierto. Para mí esto explica muchas cosas, camaradas: ¿no hemos visto nosotros mismos cómo Snowball intentó, afortunadamente sin éxito, provocar nuestra derrota y aniquilamiento en la "Batalla del Establo de las Vacas"?

Los animales quedaron estupefactos. Aquello era una maldad mucho mayor que la destrucción del molino. Pero tardaron varios minutos en comprender su significado. Todos ellos recordaron, o creyeron recordar, cómo habían visto a Snowball encabezando el ataque en la "Batalla del Establo de las Vacas", cómo él los había reunido y alentado en cada revés, y cómo no vaciló un solo instante, aun cuando los perdigones de la escopeta de Jones le hirieron en el lomo. Al principio resultó un poco difícil entender cómo todo esto se compaginaba con el hecho de estar él de parte de Jones. Hasta Boxer, que rara vez hacía preguntas, estaba perplejo. Se acostó, acomodó sus patas delanteras debajo de su pecho, cerró los ojos, y con gran esfuerzo logró hilvanar sus pensamientos.

—Yo no creo eso — dijo— , Snowball peleó valientemente en la "Batalla del Establo de las Vacas". Yo mismo lo vi. ¿Acaso no le otorgamos inmediatamente después el "Héroe Animal de Primer Grado"?

—Ese fue nuestro error, camarada. Porque ahora sabemos —figura todo escrito en los documentos secretos que hemos encontrado— que en realidad, él nos arrastraba hacia nuestra perdición.

—Pero estaba herido —alegó Boxer—. Todos lo vimos sangrando.

—¡Eso era parte del acuerdo! —gritó Squealer—. El tiro de Jones solamente lo rozó.

Yo les podría demostrar esto que está escrito de su puño y letra, si sólo ustedes pudieran leerlo. El plan era que Snowball, en el momento crítico, diera la señal para la fuga dejando el campo en poder del enemigo. Y casi lo consigue: diré más, camaradas: lo hubiera logrado a no ser por nuestro heroico Líder, el camarada Napoleón. ¿Recuerdan cómo, en el momento preciso que Jones y sus hombres llegaron al patio, Snowball repentinamente se volvió y huyó, y muchos animales lo siguieron? ¿Y recuerdan también que justamente en ese momento, cuando cundía el pánico y parecía que estaba todo perdido, el camarada Napoleón saltó hacia delante al grito de "¡Muera la Humanidad! ", y hundió sus dientes en la pierna de Jones? Seguramente no habrán olvidado esto, camaradas —exclamó Squealer.

Como Squealer describió la escena tan gráficamente, a los animales les pareció recordarlo.

De cualquier modo, sabían que en el momento crítico de la batalla, Snowball se había vuelto para huir. Pero Boxer aún estaba algo indeciso.

—Yo no creo que Snowball fuera un traidor al principio —dijo finalmente—. Lo que haya hecho desde entonces es distinto. Pero yo creo que en la "Batalla del Establo de las Vacas" él fue un buen camarada.

—Nuestro Líder, el camarada Napoleón —anunció Squealer, hablando lentamente y con firmeza—, ha manifestado categóricamente, ¡categóricamente, camaradas! que Snowball fue agente de Jones desde el comienzo de todo y en cualquier caso, desde mucho antes de que se pensara siquiera en la rebelión.

—¡Ah, eso es distinto! —gritó Boxer— . Si el camarada Napoleón lo dice, debe ser así.

—¡Ese es el verdadero espíritu, camarada! —gritó Squealer, pero se notó que lanzó a Boxer una torva mirada con sus relampagueantes ojillos. Se volvió para irse, luego se detuvo y agregó en forma impresionante—: Yo le advierto a todo animal de esta granja que tenga los ojos bien abiertos, ¡porque tenemos motivos para creer que algunos agentes secretos de Snowball se encuentran entre nosotros y al acecho en este momento!

Cuatro días después, al atardecer, Napoleón ordenó a los animales que se congregaran en el patio. Cuando estuvieron todos reunidos, Napoleón salió de la casa, luciendo sus dos medallas (ya que recientemente se había nombrado él mismo "Héroe Animal de Primer Grado" y "Héroe Animal de Segundo Grado"), con sus nueve enormes perros brincando alrededor y emitiendo gruñidos que produjeron escalofríos a los demás animales. Todos ellos se recogieron silenciosamente en sus lugares, pareciendo saber de antemano que iban a ocurrir cosas terribles.

Napoleón se quedó observando severamente a su auditorio; luego emitió un gruñido agudo. Inmediatamente los perros saltaron hacia delante, agarraron a cuatro de los cerdos por las orejas y los arrastraron, atemorizados y chillando de dolor hasta los pies de Napoleón. Las orejas de los cerdos estaban sangrando; los perros que hasta ese momento habían probado sangre, por unos instantes parecían enloquecidos. Ante el asombro de todos, tres de ellos se abalanzaron sobre Boxer. Éste los vio venir y estiró su enorme casco, paró a uno en el aire y lo sujetó contra el suelo. El perro chilló pidiendo misericordia y los otros huyeron con el rabo entre las patas. Boxer miró a Napoleón para saber si debía continuar aplastando al perro hasta matarlo o si debía soltarlo. Napoleón pareció cambiar de semblante y le ordenó bruscamente que soltara al perro, a lo cual Boxer levantó su pata y el can huyó maltrecho y gimiendo.

Pronto cesó el tumulto. Los cuatro cerdos esperaban temblando y con la culpabilidad escrita en cada surco de sus rostros. Napoleón les exigió que confesaran sus crímenes. Eran los mismos cuatro cerdos que habían protestado cuando Napoleón abolió las reuniones de los domingos. Sin otra exigencia, confesaron que estuvieron en contacto clandestinamente con Snowball desde su expulsión, colaboraron con él en la destrucción del molino y convinieron en entregar la "Granja Animal" al señor Frederick. Agregaron que Snowball había admitido, confidencialmente, que él era agente secreto del señor Jones desde muchos años atrás. Cuando terminaron su confesión, sin perder tiempo, los perros les desgarraron las gargantas y entre tanto, Napoleón con voz terrible, preguntó si algún otro animal tenía algo que confesar.

Las tres gallinas que fueron las cabecillas del conato de rebelión a causa de los huevos, se adelantaron y declararon que Snowball se les había aparecido en sueños incitándolas a desobedecer las órdenes de Napoleón. También ellas fueron destrozadas. Luego un ganso se adelantó y confesó que había ocultado seis espigas de maíz durante la cosecha del año anterior y que se las había comido por la noche. Luego una oveja admitió que hizo aguas en el bebedero, instigada a hacerlo según dijo, por Snowball, y otras dos ovejas confesaron que asesinaron a un viejo carnero muy adicto a Napoleón, persiguiéndolo alrededor de una fogata cuando tosía. Todos ellos fueron ejecutados allí mismo. Y así continuó la serie de confesiones y ejecuciones hasta que una pila de cadáveres yacía a los pies de Napoleón y el aire estaba impregnado con olor a sangre, olor que era desconocido desde la expulsión de Jones.

Cuando terminó esto, los animales restantes, excepto los cerdos y los perros, se alejaron juntos. Estaban estremecidos y consternados. No sabían qué era más espantoso: si la traición de los animales que se conjuraron con Snowball o la cruel represión que acababan de presenciar. Antaño hubo muchas veces escenas de matanzas igualmente terribles, pero a todos les parecía mucho peor la de ahora, por haber sucedido entre ellos mismos. Desde que Jones había abandonado la granja, ningún animal mató a otro animal. Ni siquiera una rata. Llegaron a la pequeña loma donde estaba el molino semiconstruido y de común acuerdo, se recostaron todos, como si se agruparan para calentarse: Clover, Muriel, Benjamín, las vacas, las ovejas y toda una bandada de gansos y gallinas: todos en verdad, exceptuando la gata, que había desaparecido repentinamente, poco antes de que Napoleón ordenara a los animales que se reunieran. Durante algún tiempo nadie habló. Únicamente Boxer permanecía de pie batiendo su larga cola negra contra sus costados y emitiendo de cuando en cuando un pequeño relincho de extrañeza. Finalmente dijo: "No comprendo. Yo no hubiera creído que estas cosas pudieran ocurrir en nuestra granja. Eso se debe seguramente a algún defecto nuestro. La solución, como yo la veo, es trabajar más. Desde ahora me levantaré una hora más temprano todas las mañanas."

Y se alejó con su trote pesado en dirección a la cantera.

Una vez allí juntó dos carretadas de piedras y tiró de ellas hasta el molino, antes de acostarse.

Los animales se acurrucaron alrededor de Clover, sin hablar. La loma donde estaban acostados les ofrecía una amplia perspectiva a través de la campiña. La mayor parte de "Granja Animal" estaba a la vista: la larga pradera, que se extendía hasta la carretera, el campo de heno, el bebedero, los campos arados donde crecía el trigo nuevo, tupido y verde, y los techos rojos de los edificios de la granja, con el humo elevándose en espiral de sus chimeneas. Era un claro atardecer primaveral. El pasto y los cercados florecientes estaban dorados por los rayos del sol poniente. Nunca les había parecido la granja — y con cierta sorpresa se acordaron de que era su propia granja, y que cada pulgada era de su propiedad— un lugar tan codiciado. Mientras Clover miraba ladera abajo, se le llenaron los ojos de lágrimas. Si ella pudiera expresar sus pensamientos, hubiera sido para decir que a eso no era a lo que aspiraban cuando emprendieron, años atrás, el derrocamiento de la raza humana. Aquellas escenas de terror y matanza no eran lo que ellos soñaron aquella noche cuando el Viejo Mayor, por primera vez, los incitó a rebelarse. Si ella misma hubiera concebido un cuadro del futuro, sería el de una sociedad de animales liberados del hambre y del látigo, todos iguales, cada uno trabajando de acuerdo con su capacidad, el fuerte protegiendo al débil, como ella protegiera con su pata delantera a aquellos patitos perdidos la noche del discurso de Mayor. En su lugar —ella no sabía por qué— habían llegado a un estado tal en el que nadie se atrevía a decir lo que pensaba, en el que perros feroces y gruñones merodeaban por doquier y donde uno tenía que ver cómo sus camaradas eran despedazados después de confesarse autores de crímenes horribles. No había intención de rebeldía o desobediencia en su mente. Ella sabía que aun tal y como se presentaban las cosas, estaban mucho mejor que en los días de Jones y que ante todo, era necesario evitar el regreso de los seres humanos. Sucediera lo que sucediera permanecería leal, trabajaría duro, cumpliría las órdenes que le dieran y aceptaría las directrices de Napoleón. Pero aun así, no era eso lo que ella y los demás animales anhelaban y para lo que trabajaban tanto. No fue por eso por lo que construyeron el molino, e hicieron frente a las balas de Jones. Tales eran sus pensamientos, aunque le faltaban palabras para expresarlos.

Al final, presintiendo que tal vez sería un sucedáneo para las palabras que ella no podía encontrar, empezó a cantar "Bestias de Inglaterra". Los demás animales a su alrededor la imitaron y la cantaron tres veces, melodiosamente, aunque de forma lenta y fúnebre como nunca lo hicieran.

Apenas habían terminado de repetirla por tercera vez cuando se acercó Squealer, acompañado de dos perros, con el aire de quien tiene algo importante que decir. Anunció que por un decreto especial del camarada Napoleón se había abolido el canto de "Bestias de Inglaterra". Desde ese momento quedaba prohibido cantar dicha canción.

Los animales quedaron asombrados.

—¿Por qué? —gritó Muriel.

—Ya no hace falta, camarada —dijo Squealer secamente—. "Bestias de Inglaterra" fue el canto de la rebelión, pero ésta ya ha terminado. La ejecución de los traidores esta tarde, fue el acto final. El enemigo, tanto exterior como interior, ha sido vencido. En "Bestias de Inglaterra" nosotros expresamos nuestras ansias por una sociedad mejor en el futuro. Pero esa sociedad ya ha sido establecida. Realmente esta canción ya no tiene objeto.

Aunque estaban asustados, algunos de los animales hubieran protestado, pero en aquel momento las ovejas comenzaron su acostumbrado balido de "Cuatro patas sí, dos pies no", que duró varios minutos y puso fin a la discusión.

Y de esta forma no se escuchó más "Bestias de Inglaterra". En su lugar Mínimus, el poeta, había compuesto otra canción que comenzaba así:

Granja Animal, Granja Animal,
¡Nunca por mí tendrás ningún mal!

Y esto se cantó todos los domingos por la mañana después de izarse la bandera. Pero, por algún motivo, a los animales les pareció que ni la letra ni la música estaban a la altura de "Bestias de Inglaterra".

VIII

Días después, cuando ya había desaparecido el terror producido por las ejecuciones, algunos animales recordaron —o creyeron recordar— que el sexto mandamiento decretaba: "Ningún animal matará a otro animal". Y aunque nadie quiso mencionarlo al oído de los cerdos o de los perros, se tenía la sensación de que las matanzas que habían tenido lugar no concordaban con aquello. Clover pidió a Benjamín que leyera el sexto mandamiento, y cuando éste, como de costumbre se negó a entrometerse en esos asuntos, se fue en busca de Muriel. Muriel leyó el Mandamiento. Decía así: "Ningún animal matará a otro animal sin motivo". Por una razón u otra, las dos últimas palabras se les habían ido de la memoria a los animales. Pero comprobaron que el Mandamiento no fue violado; porque evidentemente, hubo motivo sobrado para matar a los traidores que se aliaron con Snowball.

Durante este año los animales trabajaron aún más duro que el año anterior. Reconstruir el molino, con paredes dos veces más gruesas que antes, y concluirlo para una fecha determinada, además del trabajo diario de la granja, era una tarea tremenda. A veces les parecía que trabajaban más y no comían mejor que en la época de Jones. Los domingos por la mañana Squealer, sujetando un papel largo con una pata, les leía largas listas de cifras, demostrando que la producción de toda clase de víveres había aumentado en un 200 por ciento, 300 por ciento o 500 por ciento, según el caso. Los animales no vieron motivo para no creerle, especialmente porque no podían recordar con claridad cómo eran las cosas antes de la rebelión. Aun así, preferían a veces tener menos cifras y más comida.

Todas las órdenes eran emitidas por intermedio de Squealer o cualquiera de los otros cerdos. A Napoleón no se le veía en público, todo lo demás, era tratado una vez por quincena. Cuando aparecía lo hacía acompañado, no sólo por su comitiva de perros, sino también por un gallo negro que marchaba delante y actuaba como una especie de heraldo, dejando oír un sonoro cacareo antes de que hablara Napoleón. Hasta en la casa, se decía, Napoleón ocupaba aposentos separados de los demás. Comía solo, con dos perros para servirlo, y siempre utilizaba la vajilla que había estado en la vitrina de cristal de la sala. También se anunció que la escopeta sería disparada en cada cumpleaños de Napoleón, igual que en los otros dos aniversarios.

Napoleón ya no era llamado sólo por su nombre. Ahora se le nombraba siempre en forma ceremoniosa como "nuestro Líder, camarada Napoleón", y a los cerdos les gustaba inventar para él títulos como: "Padre de todos los animales", "Terror de la humanidad", "Protector del rebaño de ovejas", "Amigo de los patitos" y otros por el estilo. En sus discursos, Squealer hablaba con lágrimas en los ojos, respecto a la sabiduría de Napoleón, la bondad de su corazón y el profundo amor que sentía por todos los animales en todas partes, y especialmente por las desdichadas bestias que aún vivían en la ignorancia y la esclavitud en otras granjas. Se había hecho habitual atribuir a Napoleón toda proeza afortunada y todo golpe de suerte. A menudo se oía que una gallina le decía a otra: "Bajo la dirección de nuestro Líder, camarada Napoleón, yo he puesto cinco huevos en seis días", o dos vacas, mientras saboreaban el agua del bebedero, solían exclamar: "Gracias a nuestro Líder, camarada Napoleón ¡qué rico sabor tiene esta agua!". El sentimiento general de la granja estaba bien expresado en un poema titulado "Camarada Napoleón", escrito por Mínimus y que decía así:

¡Amigo de los desheredados! ¡Fuente de bienestar!
Señor de la pitanza, que mi alma enciendes
cuando afortunado contemplo
tu firme y segura mirada,
cuál sol que deslumbra al cielo.
¡Oh, Camarada Napoleón! Donador señero
de todo lo que tus criaturas aman
—sus barrigas llenas y limpia paja para yacer—.
Todas las bestias grandes o pequeñas,
dormir en paz en sus establos anhelan
bajo tu mirada protectora.
¡Oh, Camarada Napoleón!
El hijo que la suerte me enviare,
antes de crecer y hacerse grande
y desde chiquito y tierno cachorrillo

aprenderá primero a serte fiel, devoto,
y seguro estoy de que éste será su primer chillido:
¡Oh, Camarada Napoleón!

Napoleón aprobó este poema y lo hizo inscribir en la pared del granero principal, en el extremo opuesto a los Siete Mandamientos. Sobre el mismo, había un retrato de Napoleón, de perfil, pintado por Squealer con pintura blanca.

Mientras tanto, por intermedio de Whymper, Napoleón estaba ocupado en complicadas negociaciones con Frederick y Pilkington. La pila de madera aún estaba sin vender. De los dos, Frederick era el que estaba más ansioso por obtenerla, pero no quería ofrecer un precio razonable. Al mismo tiempo corrían rumores insistentes de que Frederick y sus hombres estaban conspirando para atacar "Granja Animal" y destruir el molino, cuya construcción había provocado una envidia furiosa en él. Se sabía que Snowball aún estaba al acecho en la "Granja Pinchfield". A mediados del verano los animales se alarmaron al escuchar que tres gallinas confesaron haber tramado, inspiradas por Snowball, un complot para asesinar a Napoleón. Fueron ejecutadas inmediatamente y se tomaron nuevas precauciones para la seguridad del Líder. Cuatro perros cuidaban su cama durante la noche, uno en cada esquina, y un joven cerdo llamado Pinkeye fue designado para probar todos sus alimentos antes de que el Líder los comiera, por temor a que estuvieran envenenados.

Más o menos en esa época, se divulgó que Napoleón había convenido en vender la pila de madera al señor Pilkington; también había de celebrarse un convenio formal para el intercambio de ciertos productos entre "Granja Animal" y "Foxwood". Las relaciones entre Napoleón y Pilkington, aunque conducidas únicamente por intermedio de Whymper, eran casi amistosas. Los animales desconfiaban de Pilkington como ser humano, pero lo preferían mucho más a él que a Frederick, a quien temían y odiaban al mismo tiempo. Cuando estaba finalizando el verano y la construcción del molino llegaba a su término, los rumores de un inminente ataque a traición iban en aumento. Frederick, se decía, tenía intención de traer contra ellos a veinte hombres armados con escopetas, y ya había sobornado a los magistrados y a la policía para que, en caso de que pudiera obtener los títulos de propiedad de "Granja Animal", aquellos no indagaran. Además se filtraban de Pinchfield algunas historias muy terribles respecto a las crueldades de que hacía objeto Frederick a los animales. Había azotado hasta la muerte a un caballo; mataba de hambre a sus vacas, había acabado con un perro arrojándolo dentro de un horno, se divertía de noche con riñas de gallos, atándoles pedazos de hojas de afeitar a los espolones. La sangre les hervía de rabia a los animales cuando se enteraron de las cosas que se hacían a sus camaradas y, algunas ocasiones, clamaron para que se les permitiera salir y atacar en masa la "Granja Pinchfield", echar a los humanos y liberar a los animales. Pero Squealer les aconsejó que evitaran los actos precipitados y que confiaran en la estrategia de Napoleón.

Sin embargo, el resentimiento contra Frederick continuó en aumento. Un domingo por la mañana Napoleón se presentó en el granero y explicó que en ningún momento había tenido intención de vender la pila de madera a Frederick; consideraba incompatible con su dignidad tener trato con bribones de esa calaña. A las palomas, que aún eran enviadas para difundir noticias referentes a la rebelión, les fue prohibido pisar "Foxwood" y también fueron forzadas a abandonar su lema anterior de "Muerte a la Humanidad" reemplazándolo por "Muerte a Frederick".

A fines de verano fue puesta al descubierto una nueva intriga de Snowball. Los campos de trigo estaban llenos de malezas y se descubrió que en una de sus visitas nocturnas, Snowball mezcló semillas de cardos con las semillas de trigo. Un ganso, cómplice del complot, había confesado su culpa a Squealer y se suicidó inmediatamente ingiriendo unas hierbas tóxicas. Los animales se enteraron también de que Snowball nunca había recibido —como muchos de ellos habían creído hasta entonces— la orden de " Héroe Animal de Primer Grado". Era simplemente una leyenda difundida poco tiempo después de la "Batalla del Establo de las Vacas" por Snowball mismo. Lejos de ser condecorado, fue censurado por demostrar cobardía en la batalla. Una vez más, algunos animales escucharon esto con cierta perplejidad, pero Squealer logró convencerlos de que sus recuerdos estaban equivocados.

En el otoño, mediante un tremendo y agotador esfuerzo —porque la cosecha tuvo que realizarse casi al mismo tiempo—, se concluyó el molino de viento. Aún faltaba instalar la maquinaria y Whymper negociaba su compra todavía, pero la construcción estaba terminada. A despecho de todas las dificultades, a pesar de la inexperiencia, de herramientas primitivas, de la mala suerte y de la traición de Snowball, ¡el trabajo había sido terminado puntualmente en el día fijado! Muy cansados pero orgullosos, los animales daban vueltas y más vueltas alrededor de su obra maestra, que a su juicio aparecía aún más hermosa que cuando fuera levantada por primera vez. Además, el espesor de las paredes era el doble de lo que había sido antes. ¡Únicamente con explosivos sería posible derrumbarlo esta vez! Y cuando recordaban cómo trabajaron, el desaliento que habían superado y el cambio que produciría en sus vidas cuando las aspas estuvieran girando y las dinamos funcionando, cuando pensaban en todo esto, el cansancio desaparecía y brincaban alrededor del molino, profiriendo gritos de triunfo. Napoleón mismo, acompañado por sus perros y su gallo, se acercó para inspeccionar el trabajo terminado; personalmente felicitó a los animales por su proeza y anunció que el molino sería llamado "Molino Napoleón".

Dos días después, los animales fueron citados para una reunión especial en el granero. Quedaron estupefactos cuando Napoleón les anunció que había vendido la pila de madera a Frederick. Los carros de Frederick comenzarían a llevársela. Durante todo el tiempo de su aparente amistad con Pilkington, Napoleón en realidad había estado secretamente de acuerdo con Frederick.

Todas las relaciones con "Foxwood" fueron cortadas mientras se enviaban mensajes insultantes a Pilkington. A las palomas se les comunicó que debían evitar la "Granja Pinchfield" y que modificaran su lema de "Muera Frederick" por "Muera Pilkington". Al mismo tiempo, Napoleón aseguró a los animales que los rumores de un ataque a "Granja Animal" eran completamente falsos y que las noticias respecto a las crueldades de Frederick con sus animales, habían sido enormemente exageradas. Todos esos rumores probablemente habían sido propagados por Snowball y sus agentes. Ahora se descubría que Snowball no estaba escondido en la "Granja Pinchfield" y que en su vida había estado allí; residía en "Foxwood" —con un lujo extraordinario, según decían— y al parecer, había sido un protegido de Pilkington durante muchos años.

Los cerdos estaban asombrados por la astucia de Napoleón. Mediante su aparente amistad con Pilkington forzó a Frederick a aumentar su precio en doce libras. Pero la superioridad de la mente de Napoleón, dijo Squealer, fue demostrada por el hecho de que no se fió de nadie, ni siquiera de Frederick. Éste había querido abonar la madera con algo que se llama cheque, el cual, al parecer, era un pedazo de papel con la promesa de pagar la cantidad escrita en el mismo. Pero Napoleón fue demasiado listo para él. Había exigido el pago en billetes auténticos de cinco libras, que debían abonarse antes de retirar la madera. Frederick pagó y el importe abonado alcanzaba justamente para comprar la maquinaria necesaria para el molino de viento.

Mientras tanto, la madera era llevada a toda prisa. Cuando ya había sido totalmente retirada, se llevó a cabo otra reunión especial en el granero para que los animales pudieran contemplar los billetes de banco de Frederick.

Sonriendo beatíficamente y luciendo sus dos condecoraciones, Napoleón reposaba en su lecho de paja sobre la plataforma, con el dinero al lado suyo, apilado con esmero sobre un plato de porcelana de la cocina. Los animales desfilaron lentamente a su lado y lo contemplaron hasta el hartazgo. Boxer estiró la nariz para oler los billetes y los delgados papeles se movieron y crujieron ante su aliento.

Tres días después se registró un terrible alboroto. Whymper, extremadamente pálido, llegó a toda velocidad montado en su bicicleta, la tiró al suelo al llegar al patio y entró corriendo. Enseguida, se oyó un sordo rugido de rabia desde el aposento de Napoleón. La noticia de lo ocurrido se difundió por la granja como pólvora. ¡Los billetes eran falsos! ¡Frederick había conseguido la madera gratis!

Napoleón reunió inmediatamente a todos los animales y con terrible voz decretó sentencia de muerte para Frederick. Cuando fuera capturado —dijo—, Frederick debía ser escaldado vivo. Al mismo tiempo les advirtió que después de ese acto traicionero, debía esperarse lo peor. Frederick y su gente podrían lanzar su tan largamente esperado ataque en cualquier momento. Se apostaron centinelas en todas las vías de acceso a la granja. Además se enviaron cuatro palomas a "Foxwood" con un mensaje conciliatorio, con el que se esperaba poder restablecer las buenas relaciones con Pilkington.

A la mañana siguiente se produjo el ataque. Los animales estaban tomando el desayuno cuando los vigías entraron corriendo con el anuncio de que Frederick y sus huestes ya habían pasado el portón de acceso. Los animales salieron audazmente para combatir, pero esta vez no alcanzaron la victoria fácil que obtuvieran en la "Batalla del Establo de las Vacas". Había quince hombres, con media docena de escopetas, y abrieron fuego tan pronto como llegaron a cincuenta metros de los animales. Éstos no pudieron hacer frente a las terribles explosiones con sus hirvientes perdigones y, a pesar de los esfuerzos de Napoleón y Boxer por reagruparlos, pronto fueron rechazados. Unos cuantos de ellos estaban heridos. Se refugiaron en los edificios de la granja y espiaron cautelosamente por las rendijas y los agujeros en los nudos de la madera. Toda la pradera grande, incluyendo el molino de viento, estaba en manos del enemigo. Por el momento hasta Napoleón estaba sin saber qué hacer. Paseaba de acá para allá sin decir palabra, con su cola rígida contrayéndose nerviosamente. Se lanzaban miradas ávidas en dirección a "Foxwood". Si Pilkington y su gente los ayudaran, aún podrían salir bien. Pero en ese momento las cuatro palomas que habían sido enviadas el día anterior volvieron, portando una de ellas un trozo de papel de Pilkington. Sobre el mismo figuraban escritas con lápiz las siguientes palabras: "Se lo tiene merecido".

Mientras tanto, Frederick y sus hombres se detuvieron junto al molino. Los animales los observaron, y un murmullo de angustia brotó de sus labios. Dos de los hombres esgrimían una palanca de hierro y un martillo. Iban a tirar abajo el molino de viento.

—¡Imposible! —gritó Napoleón—. Hemos construido las paredes demasiado gruesas para eso. No las podrán tirar abajo ni en una semana. ¡Valor, camaradas!

Pero Benjamín observaba con insistencia los movimientos de los hombres. Los que manejaban el martillo y la palanca de hierro estaban abriendo un agujero cerca de la base del molino. Lentamente, y con un aire casi divertido, Benjamín agitó su largo hocico.

—Ya me parecía —dijo—. ¿No ven lo que están haciendo? Llenarán de pólvora ese agujero.

Los animales esperaban aterrorizados. Era imposible aventurarse fuera del refugio de los edificios. Después de varios minutos los hombres fueron vistos corriendo en todas direcciones. Luego se oyó un estruendo ensordecedor. Las palomas se arremolinaron en el aire y todos los animales, excepto Napoleón, se tiraron al suelo boca abajo y escondieron sus caras. Cuando se incorporaron nuevamente, una enorme nube de humo negro flotaba en el lugar donde estuviera el molino de viento. Lentamente la brisa la alejó. ¡El molino de viento había dejado de existir!

Al ver esta escena los animales recuperaron su coraje. El miedo y la desesperación que sintieron momentos antes fueron ahogados por su ira contra tan vil y abominable acto. Lanzaron un potente griterío clamando venganza, y sin esperar otra orden, atacaron en masa y se abalanzaron sobre el enemigo. Esta vez no prestaron atención a los crueles perdigones que pasaban sobre sus cabezas como granizo. Fue una batalla enconada y salvaje. Los hombres hicieron fuego una y otra vez, y cuando los animales llegaron a la lucha cuerpo a cuerpo, los azotaron con sus palos y sus pesadas botas. Una vaca, tres ovejas y dos gansos murieron, y casi todos estaban heridos. Hasta Napoleón que dirigía las operaciones desde la retaguardia, fue herido en la punta de la cola por un perdigón. Pero los hombres tampoco salieron ilesos. Tres de ellos tenían la cabeza rota por las patadas de Boxer; otro fue corneado en el vientre por una vaca; a uno casi le arrancan los pantalones entre Jessie y Bluebell. Y cuando los nueve perros guardaespaldas de Napoleón, a quienes él había ordenado que dieran un rodeo por detrás del cercado, aparecieron repentinamente por el flanco ladrando ferozmente, el pánico se apoderó de los hombres quienes vieron el peligro que corrían de ser rodeados. Frederick gritó a sus hombres que escaparan mientras aún les fuera posible, y enseguida el enemigo huyó acobardado a toda velocidad. Los animales los persiguieron hasta el final del campo y lograron darles las últimas patadas, cuando cruzaban la cerca de espino.

Habían vencido, pero estaban maltrechos y sangrantes. Lentamente y renqueando volvieron hacia la granja. El espectáculo de los camaradas muertos que yacían sobre la hierba hizo llorar a algunos. Y durante un rato se detuvieron desconsolados y en silencio en el lugar donde antes estuviera el molino. Sí, ya no estaba; ¡hasta el último rastro de su labor había desaparecido! Hasta los cimientos estaban parcialmente destruidos. Y para reconstruirlo no podrían esta vez, como antes, utilizar las piedras derruidas. Hasta ellas desaparecieron. La fuerza de la explosión las arrojó a cientos de metros de distancia. Era como si el molino nunca hubiera existido.

Cuando se aproximaron a la granja, Squealer, que inexplicablemente estuvo ausente durante la pelea, vino saltando hacia ellos, meneando la cola y rebosante de alegría. Y los animales oyeron, procediendo de los edificios de la granja, el solemne estampido de una escopeta.

—¿A qué se debe ese disparo? —preguntó Boxer.

—¡Para celebrar nuestra victoria! —gritó Squealer.

—¿Qué victoria? —exclamó Boxer. Sus rodillas estaban sangrando, había perdido una herradura, tenía rajado un casco y una docena de perdigones incrustados en una pata trasera.

—¿Qué victoria, camarada? ¿No hemos arrojado al enemigo de nuestro suelo, el suelo sagrado de "Granja Animal"?

—Pero han destruido el molino. ¡Y nosotros hemos trabajado durante dos años para construirlo!

—¿Qué importa? Construiremos otro molino. Construiremos seis molinos si queremos. No aprecian, camaradas, la importancia de lo que hemos hecho. El enemigo estaba ocupando este suelo que pisamos. ¡Y ahora, gracias a la dirección del camarada Napoleón, hemos reconquistado cada pulgada del mismo!

—Entonces, ¿hemos recuperado nuevamente lo que teníamos antes? —preguntó Boxer.

—Esa es nuestra victoria —agregó Squealer.

Entraron renqueando en el patio. Los perdigones incrustados en la pata de Boxer le quemaban dolorosamente. Veía ante sí la pesada labor de reconstruir el molino desde los cimientos y, en su imaginación, se preparaba para la tarea. Pero por primera vez se le ocurrió que él tenía once años de edad y que tal vez sus grandes músculos ya no fueran lo que habían sido antes. Pero cuando los animales vieron flamear la bandera verde y sintieron disparar nuevamente la escopeta —siete veces en total— y escucharon el discurso que pronunció Napoleón, felicitándolos por su conducta, les pareció que después de todo, habían conseguido una gran victoria. Los muertos en la batalla recibieron un entierro solemne. Boxer y Clover tiraron del carro que sirvió de coche fúnebre y Napoleón encabezó la comitiva. Durante dos días enteros se efectuaron festejos. Hubo canciones, discursos y más disparos de escopeta y se hizo un obsequio especial de una manzana para cada animal, dos onzas de maíz para cada ave y tres bizcochos para cada perro. Se anunció que la batalla sería llamada "del Molino" y que Napoleón había creado una nueva condecoración, la "Orden del Estandarte Verde", que él se otorgó a sí mismo. En el regocijo general, se olvidó el infortunado incidente de los billetes de banco.

Unos días después, los cerdos hallaron una caja de whisky en el sótano de la casa. Había sido pasado por alto cuando se ocupó el edificio. Aquella noche se oyeron desde la casa canciones en alta voz, donde para sorpresa de todos, se entremezclaban los acordes de "Bestias de Inglaterra". A eso de las nueve y media, Napoleón, luciendo un viejo bombín del señor Jones, fue visto salir por la puerta trasera, galopar alrededor del patio y entrar nuevamente. Pero por la mañana, reinaba un silencio profundo en la casa. Ni un cerdo se movía. Eran casi las nueve cuando Squealer hizo su aparición, caminando lenta y torpemente, sus ojos opacos, su cola colgando flácidamente y con el aspecto de estar seriamente enfermo. Reunió a los animales y les dijo que tenía que comunicarles malas noticias. ¡El camarada Napoleón se estaba muriendo!

Muestras de dolor se elevaron en un grito al unísono. Se colocó paja en todas las entradas de la casa y los animales caminaban de puntillas. Con lágrimas en los ojos, se preguntaban unos a otros qué harían si perdieran a su Líder. Se difundió el rumor de que

Snowball, a pesar de todo, había logrado introducir veneno en la comida de Napoleón. A las once salió Squealer para hacer otro anuncio. Como último acto suyo sobre la tierra, el camarada Napoleón emitía un solemne mandato: la acción de beber alcohol sería castigada con la muerte.

Al anochecer, sin embargo, Napoleón parecía estar un poco mejor y a la mañana siguiente Squealer pudo decirles que se hallaba en vías de franco restablecimiento. Esa misma noche Napoleón estaba en pie y al otro día se supo que había ordenado a Whymper que comprara en Willingdon algunos folletos sobre la fermentación y destilación de bebidas. Una semana después Napoleón ordenó que fuera arado el campo detrás de la huerta, destinada como lugar de esparcimiento para animales retirados del trabajo. Se dijo que el campo estaba agotado y era necesario cultivarlo de nuevo, pero pronto se supo que Napoleón tenía intención de sembrarlo con cebada.

Más o menos por esa época ocurrió un raro incidente que casi nadie fue capaz de entender. Una noche, a eso de las doce, se oyó un fuerte estrépito en el patio, y los animales salieron corriendo. Era una noche clara de luna. Al pie de la pared del granero principal, donde figuraban inscritos los siete mandamientos, se encontraba una escalera rota en dos pedazos. Squealer, momentáneamente aturdido, estaba tendido en el suelo y muy cerca estaban una linterna, un pincel y un tarro volcado de pintura blanca. Los perros formaron inmediatamente un círculo alrededor de Squealer, y lo escoltaron de vuelta a la casa, en cuanto pudo caminar. Ninguno de los animales lograba entender lo que significaba eso, excepto el viejo

Benjamín, que movía el hocico con aire enterado, aparentando comprender pero sin decir nada.

Pasados unos cuantos días, cuando Muriel estaba leyendo los siete mandamientos, notó que había otro que los animales recordaban malamente. Ellos creían que el quinto mandamiento decía: "Ningún animal beberá alcohol", pero pasaron por alto dos palabras. Ahora el Mandamiento indicaba: "Ningún animal beberá alcohol en exceso".

IX

El casco partido de Boxer tardó mucho en curar. Habían comenzado la reconstrucción del molino al día siguiente de terminarse los festejos de la victoria. Boxer se negó a tomar siquiera un día de asueto, e hizo cuestión de honor el no dejar ver que estaba dolorido. Por las noches le admitía reservadamente a Clover que el casco le molestaba mucho. Clover lo curaba con emplastos de yerbas que preparaba mascándolas, y tanto ella como Benjamín pedían a Boxer que trabajara menos. "Los pulmones de un caballo no son eternos", le decía ella. Pero Boxer no le hacía caso. Sólo le quedaba —dijo— una verdadera ambición: ver el molino bien adelantado antes de llegar a la edad de retirarse.

Al principio, cuando se formularon las leyes de "Granja Animal", se fijaron las siguientes edades para jubilarse; caballos y cerdos a los doce años, vacas a los catorce, perros a los nueve, ovejas a los siete y las gallinas y los gansos a los cinco. Se establecieron pensiones generosas para la vejez. Hasta entonces ningún animal se había retirado, pero últimamente la discusión del asunto fue en aumento. Ahora que el campo de detrás de la huerta se había destinado para la cebada, circulaba el rumor de que alambrarían un rincón de la pradera larga, convirtiéndolo en campo donde pastarían los animales jubilados. Para caballos, se decía, la pensión sería de cinco libras de maíz por día y en invierno quince libras de heno, con una zanahoria o posiblemente una manzana los días de fiesta. Boxer iba a cumplir los doce años a fines del verano del año siguiente.

Mientras tanto, la vida seguía siendo dura. El invierno era tan frío como el anterior, y la comida aún más escasa. Nuevamente fueron reducidas todas las raciones, exceptuando las de los cerdos y las de los perros. "Una igualdad demasiado rígida en las raciones —explicó Squealer—, sería contraria a los principios del Animalismo". De cualquier manera no tuvo dificultad en demostrar a los demás que, en realidad, no estaban faltos de comida, cualesquiera que fueran las apariencias. Ciertamente, fue necesario hacer un reajuste de las raciones (Squealer siempre mencionaba esto como "reajuste", nunca como "reducción"), pero comparado con los tiempos de Jones, la mejoría era enorme. Leyéndoles las cifras con voz chillona y rápida, les demostró detalladamente que contaban con más avena, más heno, y más nabos de los que tenían en los tiempos de Jones; que trabajaban menos horas, que el agua que bebían era de mejor calidad, que vivían más años, que una mayor proporción de criaturas sobrevivía a la infancia y que tenían más paja en sus pesebres y menos pulgas. Los animales creyeron todo lo que dijo. En verdad, Jones, y lo que él representaba, casi se había borrado de sus memorias. Ellos sabían que la vida era dura y áspera, que muchas veces tenían hambre y frío, y generalmente estaban trabajando cuando no dormían. Pero, sin duda alguna, peor había sido en los viejos tiempos. Se sentían contentos de creerlo así. Además, en aquellos días fueron esclavos y ahora eran libres, y eso representaba mucha diferencia, como Squealer nunca se olvidaba de señalarles.

Había muchas bocas más que alimentar. En el otoño las cuatro cerdas tuvieron crías simultáneamente, amamantando, entre todas, treinta y un lechoncitos. Los jóvenes cerdos eran manchados, y como Napoleón era el único verraco en la granja, no fue difícil adivinar su origen paterno. Se anunció que más adelante, cuando se compraran ladrillos y maderas, se construiría una escuela en el jardín. Mientras tanto, los lechones fueron educados por Napoleón mismo en la cocina de la casa. Hacían su gimnasia en el jardín, y se les disuadía de jugar con los otros animales jóvenes. En esa época, también se implantó la regla de que cuando un cerdo y cualquier otro animal se encontraran en el camino, el segundo debía hacerse a un lado; y asimismo que los cerdos de cualquier categoría, iban a tener el privilegio de adornarse con cintas verdes en la cola, los domingos.

La granja tuvo un año bastante próspero, pero aún andaban escasos de dinero. Faltaban por adquirir los ladrillos, la arena y el cemento necesarios para la escuela e iba a ser preciso ahorrar nuevamente para la maquinaria del molino. Se requería, además, petróleo para las lámparas, y velas para la casa, azúcar para la mesa de Napoleón (prohibió esto a los otros cerdos, basándose en que los hacía engordar) y todos los enseres corrientes, como herramientas, clavos, hilos, carbón, alambre, hierros y bizcochos para los perros. Una parva de heno y parte de la cosecha de patatas fueron vendidas, y el contrato de venta de huevos se aumentó a seiscientos por semana, de manera que aquel año las gallinas apenas empollaron suficientes pollitos para mantener las cifras al mismo nivel. Las raciones, rebajadas en diciembre, fueron disminuidas nuevamente en febrero, y se prohibieron las linternas en los pesebres para economizar petróleo. Pero los cerdos parecían estar bastante a gusto y, en realidad, aumentaban de peso. Una tarde, a fines de febrero, un tibio y apetitoso aroma como jamás habían percibido los animales, llegó al patio, transportado por la brisa y procedente de la casita donde se elaboraba cerveza en los tiempos de Jones, lugar que se encontraba más allá de la cocina. Alguien dijo que era el olor de la cebada hirviendo. Los animales husmearon hambrientos y se preguntaron si se les estaba preparando un pienso caliente para la cena. Pero no apareció ningún pienso caliente, y el domingo siguiente se anunció que desde ese momento toda la cebada sería reservada para los cerdos. El campo detrás de la huerta ya había sido sembrado con cebada. Y pronto se supo que todos los cerdos recibían una ración de una pinta de cerveza por día, y medio galón para el mismo Napoleón, que siempre se le servía en la sopera del juego guardado en la vitrina de cristal.

Pero si bien no faltaban penurias que aguantar, en parte estaban compensadas por el hecho de que la vida tenía mayor dignidad que antes. Había más canciones, más discursos, más desfiles. Napoleón ordenó que una vez por semana se hiciera algo denominado Demostración Espontánea, cuyo objeto era celebrar las luchas y triunfos de la "Granja Animal". A la hora indicada, los animales abandonaban sus tareas y desfilaban por los límites de la granja en formación militar, con los cerdos a la cabeza, luego los caballos, las vacas, las ovejas y después las aves. Los perros marchaban a los lados y a la cabeza de todos, el gallo negro de Napoleón. Boxer y Clover llevaban siempre una bandera verde marcada con el asta y la pezuña y el lema: "¡Viva el Camarada Napoleón!". Luego venían recitales de poemas compuestos en honor de Napoleón y un discurso de Squealer dando detalles de los últimos aumentos en la producción de alimentos, y en algunas ocasiones se disparaba un tiro de escopeta. Las ovejas eran las más aficionadas a las Demostraciones Espontáneas, y si alguien se quejaba (como lo hacían a veces algunos animales, cuando no había cerdos ni perros) alegando que se perdía tiempo y se aguantaba un largo plantón a la intemperie, las ovejas lo acallaban infaliblemente con un estentóreo: "¡Cuatro patas sí, dos pies no!". Pero a la larga, a los animales les gustaron esas celebraciones. Resultaba satisfactorio el recuerdo de que después de todo, ellos eran realmente sus propios amos y que todo el trabajo que efectuaban era en beneficio común. Y así, con las canciones, los desfiles, las listas de cifras de Squealer, el tronar de la escopeta, el cacareo del gallo y el flamear de la bandera, podían olvidar por algún tiempo que sus barrigas estaban poco menos ya que vacías.

En abril, "Granja Animal" fue proclamada República, y se hizo necesario elegir un presidente.

Había un solo candidato: Napoleón, que resultó elegido por unanimidad. El mismo día se reveló que se descubrieron nuevos documentos dando más detalles referentes a la complicidad de Snowball con Jones. Según ellos, parecía que Snowball no sólo trató de hacer perder la "Batalla del Establo de las Vacas" mediante una estratagema, como habían supuesto los animales, sino que estuvo peleando abiertamente a favor de Jones. En realidad, fue él quien dirigió las fuerzas humanas y arremetió en la batalla con las palabras "¡Viva la Humanidad!". Las heridas sobre el lomo de Snowball, que varios animales aún recordaban haber visto, fueron infligidas por los dientes de Napoleón.

A mediados del verano, Moses, el cuervo, reapareció repentinamente en la granja tras una ausencia de varios años. No había cambiado nada, continuaba sin hacer trabajo alguno y se expresaba igual que siempre respecto al Monte Azúcar. Solía posarse sobre un poste, batía sus negras alas y hablaba durante horas a cualquiera que quisiera escucharlo. "Allá arriba, camaradas —decía, señalando solemnemente el cielo con su pico largo—, exactamente detrás de esa nube oscura que ustedes pueden ver, allí está situado Monte Azúcar, esa tierra feliz donde nosotros, pobres animales, descansaremos para siempre de nuestras fatigas." Hasta sostenía haber estado allí en uno de sus vuelos a gran altura, y haber visto los campos perennes de trébol y las tartas de semilla de lino y los terrones de azúcar creciendo en los cercados. Muchos de los animales le creían. Actualmente, razonaban ellos, sus vidas no eran más que hambre y trabajo; ¿no resultaba, entonces, correcto y justo que existiera un mundo mejor en alguna parte? Una cosa difícil de determinar, era la actitud de los cerdos hacia Moses. Todos ellos declaraban desdeñosamente que sus cuentos respecto a Monte Azúcar eran mentiras y, sin embargo, le permitían permanecer en la granja sin trabajar, con una pequeña ración de cerveza por día.

Después de habérsele curado el casco, Boxer trabajó más que nunca. Ciertamente, todos los animales trabajaron como esclavos aquel año. Aparte de las faenas corrientes de la granja y la reconstrucción del molino, estaba la escuela para los cerditos, que se comenzó en marzo. A veces, las largas horas de trabajo con insuficiente comida, eran difíciles de aguantar, pero Boxer nunca vaciló. En nada de lo que él decía o hacía se exteriorizaba señal alguna de que su fuerza ya no fuera la de antes. Únicamente su aspecto estaba un poco cambiado. Su pelaje era menos brillante y sus ancas parecían haberse contraído. Los demás decían que Boxer se restablecería cuando apareciera el pasto de primavera; pero llegó la primavera y Boxer no engordó. A veces, en la ladera que llevaba hacia la cima de la cantera, cuando esforzaba sus músculos tensos por el peso de alguna piedra enorme, parecía que nada lo mantenía en pie excepto su voluntad de continuar. En estos momentos se adivinaba que sus labios pronunciaban las palabras: "Trabajaré más fuerte" porque voz no le quedaba. Nuevamente Clover y Benjamín le advirtieron que cuidara su salud, pero Boxer no prestó atención. Su duodécimo cumpleaños se aproximaba. No le importaba lo que sucediera, con tal que se hubiera acumulado una buena cantidad de piedra antes de que él se jubilara.

Un día de verano, al anochecer, se difundió rápidamente por la granja el rumor de que algo le había sucedido a Boxer. Se había ido solo para arrastrar un montón de piedras hasta el molino. Y, en efecto, el rumor era cierto. Unos minutos después dos palomas llegaron a todo volar con la noticia: " ¡Boxer se ha caído! ¡Está tendido de costado y no se puede levantar!".

Aproximadamente la mitad de los animales de la granja salieron corriendo hacia la loma donde estaba el molino. Allí yacía Boxer, entre las varas del carro, el pescuezo estirado, sin poder levantar la cabeza. Tenía los ojos vidriosos y sus flancos estaban cubiertos de sudor. Un hilillo de sangre le salía por el hocico. Clover cayó de rodillas a su lado.

—¡Boxer! —gritó—, ¿cómo estás?

—Es mi pulmón —dijo Boxer con voz débil—. No importa. Yo creo que podrán terminar el molino sin mí. Hay una buena cantidad de piedra acumulada. De cualquier manera sólo me quedaba un mes más. A decir verdad, estaba esperando la jubilación. Y como también Benjamín se está poniendo viejo, tal vez le permitan retirarse al mismo tiempo, y así me haga compañía.

—Debemos obtener ayuda inmediatamente —reclamó Clover—. Que corra alguien a comunicarle a Squealer lo que ha sucedido.

Todos los animales corrieron inmediatamente hacia la casa para darle la noticia a Squealer. Solamente se quedaron Clover y Benjamín, que se acostó al lado de Boxer y, sin decir palabra, espantaba las moscas con su larga cola. Al cuarto de hora apareció Squealer, alarmado y lleno de interés. Dijo que el camarada Napoleón, enterado con la mayor aflicción de esta desgracia que había sufrido uno de los más leales trabajadores de la granja, estaba realizando gestiones para enviar a Boxer a un hospital de Willingdon para su tratamiento. Los animales se sintieron un poco intranquilos al oír esto. Exceptuando a Mollie y Snowball, ningún otro animal había salido jamás de la granja, y no les agradaba la idea de dejar a su camarada enfermo en manos de seres humanos. Sin embargo, Squealer los convenció fácilmente de que el veterinario de Willingdon podía tratar el caso de Boxer más satisfactoriamente que en la granja. Y media hora después, cuando Boxer se repuso un poco, lo levantaron trabajosamente, y así logró volver renqueando hasta su establo donde Clover y Benjamín le habían preparado rápidamente una muy amplia y confortable cama de paja.

Durante los dos días siguientes, Boxer permaneció en su establo. Los cerdos habían enviado una botella grande del medicamento rosado que encontraron en el botiquín del cuarto de baño, y Clover se lo administraba dos veces al día después de las comidas. Por las tardes permanecía en la cuadra conversando con él, mientras Benjamín le espantaba las moscas. Boxer manifestó que no lamentaba lo que había pasado. Si se reponía, podría vivir unos tres años más, y pensaba en los días apacibles que pasaría en el rincón de la pradera grande. Sería la primera vez que tendría tiempo libre para estudiar y perfeccionarse. Tenía intención de dedicar el resto de su vida a aprender las veintidós letras restantes del abecedario.

Sin embargo, Benjamín y Clover sólo podían estar con Boxer después de las horas de trabajo, y a mediodía llegó un furgón para llevárselo. Los animales estaban trabajando bajo la supervisión de un cerdo, eliminando la maleza de los nabos, cuando fueron sorprendidos al ver a Benjamín venir a galope desde la casa, rebuznando con todas sus fuerzas. Nunca habían visto a Benjamín tan excitado; en verdad, era la primera vez que alguien lo veía galopar. "¡Pronto, pronto! —gritó—. ¡Vengan enseguida! ¡Se están llevando a Boxer! ". Sin esperar órdenes del cerdo, los animales abandonaron el trabajo y corrieron hacia los edificios de la granja. Efectivamente, en el patio había un gran furgón cerrado con letreros en los costados, tirado por dos caballos, y un hombre de aspecto ladino tocado con un bombín aplastado en el asiento del conductor. La cuadra de Boxer estaba vacía.

Los animales se agolparon junto al carro. —¡Adiós, Boxer! —gritaron a coro—, ¡adiós!

—¡Idiotas! ¡Idiotas! —exclamó Benjamín saltando alrededor de ellos y pateando el suelo con sus cascos menudos—. ¡Idiotas! ¿No ves lo que está escrito en los letreros de ese furgón?

Aquello apaciguó a los animales y se hizo el silencio. Muriel comenzó a deletrear las palabras. Pero Benjamín la empujó a un lado y en medio de un silencio sepulcral leyó:

"Alfredo Simmonds, matarife de caballos y fabricante de cola, Willingdon. Comerciante en cueros y harina de huesos. Se suministran perreras".

—¿No entienden lo que significa eso? ¡Lo llevan al descuartizador!

Los animales lanzaron un grito de horror. En ese momento el conductor fustigó a los caballos y el furgón salió del patio a un trote ligero. Todos los animales lo siguieron, gritando. Clover se adelantó. El furgón comenzó a tomar velocidad. Clover intentó galopar, pero sus pesadas patas sólo alcanzaron el medio galope.

—¡Boxer! —gritó ella—. ¡Boxer! ¡Boxer!

En ese momento, como si hubiera oído el alboroto, la cara de Boxer, con la franja blanca en el hocico, apareció por la ventanilla trasera del carro.

—¡Boxer! —gritó Clover con terrible voz—. ¡Boxer! ¡Sal de ahí! ¡Sal pronto! ¡Te llevan hacia la muerte!

Todos los animales se pusieron a gritar:

¡Sal de ahí, Boxer, sal de ahí!", pero el furgón ya había tomado velocidad y se alejaba de ellos. No se supo si Boxer entendió lo que dijo Clover. Pero un instante después, su cara desapareció de la ventanilla y se sintió el ruido de un patear de cascos dentro del furgón. Estaba tratando de abrirse camino a patadas. En otros tiempos, unas cuantas coces de sus cascos hubieran hecho trizas el furgón. Pero desgraciadamente, su fuerza lo había abandonado; y al poco tiempo el ruido de cascos se hizo más débil y se extinguió. En su desesperación los animales comenzaron a apelar a los caballos que tiraban del furgón para que se detuvieran. "¡Camaradas, camaradas! —gritaron—. ¡No lleven a su propio hermano hacia la muerte! " Pero las estúpidas bestias, eran demasiado ignorantes para darse cuenta de lo que ocurría, echaron atrás las orejas y aceleraron el trote. La cara de Boxer no volvió a aparecer por la ventanilla. Era demasiado tarde cuando a alguien se le ocurrió adelantarse para cerrar el portón; en un instante el furgón salió y desapareció por el camino. Boxer no fue visto más.

Tres días después se anunció que había muerto en el hospital de Willingdon, no obstante recibir toda la atención que se podía dispensar a un caballo. Squealer anunció la noticia a los demás. Él había estado presente, dijo, durante las últimas horas de Boxer.

—¡Esta fue la escena más conmovedora que jamás haya visto! —expresó Squealer, levantando la pata para enjugar una lágrima—. Estuve al lado de su cama hasta el último instante, y al final, casi demasiado débil para hablar, me susurró que su único pesar era morir antes de haberse terminado el molino. "Adelante, camaradas —murmuró—. Adelante en nombre de la rebelión.

¡Viva "Granja Animal"! ¡Viva el camarada Napoleón! ¡Napoleón siempre tiene razón! Esas fueron sus últimas palabras, camaradas.

Aquí el porte de Squealer cambió repentinamente. Permaneció callado un instante, y sus ojillos lanzaron miradas de desconfianza de un lado a otro antes de continuar. Había llegado a su conocimiento —dijo—, que un rumor disparatado y malicioso circuló cuando se llevaron a Boxer. Algunos animales notaron que el furgón que lo trasladó llevaba la inscripción: "Matarife de caballos", y sacaron precipitadamente la conclusión de que ése era en realidad el destino de Boxer. Resultaba casi increíble, dijo Squealer, que un animal pudiera ser tan estúpido. Seguramente —gritó indignado, agitando la cola y saltando de lado a lado—, seguramente ellos conocían a su querido Líder, camarada Napoleón, mejor que nadie. Pero la explicación en verdad era muy sencilla. El furgón anteriormente fue propiedad del descuartizador y había sido comprado por el veterinario, que aún no había borrado el nombre anterior. Así fue como nació el error.

Los animales quedaron aliviados al escuchar esto. Y cuando Squealer continuó dándoles más detalles gráficos del lecho de muerte de Boxer, la admirable atención que recibió y las costosas medicinas que costeara Napoleón sin fijarse en el precio, sus últimas dudas desaparecieron y el pesar que sintieran por la muerte de su camarada fue mitigado por la idea de que al menos, había muerto feliz.

Napoleón mismo apareció en la reunión del domingo siguiente y pronunció una breve oración fúnebre a la memoria de Boxer. No era posible traer de vuelta los restos de su llorado camarada para ser enterrados en la granja, pero había ordenado que se confeccionara una gran corona con laurel del jardín de la casa para ser colocada sobre su tumba. Y pasados unos días, los cerdos pensaban realizar un banquete conmemorativo en su honor. Napoleón finalizó su discurso recordándoles los dos lemas favoritos de Boxer: "Trabajaré más fuerte" y "El Camarada Napoleón siempre tiene razón", los cuales, dijo, todo animal haría bien en adoptar para sí mismo.

El día fijado para el banquete, vino el carro de un almacenista desde Willingdon y descargó un gran cajón de madera. Esa noche se oyó el ruido de cantos bullangueros, seguidos por algo que parecía una violenta disputa y terminó a eso de las once con un tremendo estrépito de vidrios rotos. Nadie se movió en la casa antes del mediodía siguiente y se corrió la voz de que los cerdos se habían agenciado dinero para comprar otro cajón de whisky.

X

Pasaron los años. Las estaciones vinieron y se fueron; las cortas vidas de los animales pasaron volando. Llegó una época en que ya no había nadie que recordara los viejos días anteriores a la rebelión, exceptuando a Clover, Benjamín, Moses el cuervo, y algunos cerdos.

Muriel, Bluebell, Jessie y Pincher habían muerto. Jones también murió; falleció en un hogar para borrachos en otra parte del país. Snowball fue olvidado. Boxer también lo había sido, excepto por los pocos que lo habían tratado. Clover era ya una yegua vieja y gorda, con articulaciones endurecidas y ojos legañosos. Ya hacía dos años que había cumplido la edad del retiro, pero en realidad ningún animal se había jubilado. Hacía tiempo que no se hablaba de reservar un rincón del campo de pasto para animales jubilados. Napoleón era ya un cerdo maduro de unos ciento cincuenta kilos. Squealer estaba tan gordo que tenía dificultad para ver más allá de sus narices.

Únicamente el viejo Benjamín estaba más o menos igual que siempre, excepto que el hocico lo tenía más canoso y desde la muerte de Boxer, estaba más malhumorado y taciturno que nunca.

Había muchos más animales que antes en la granja, aunque el aumento no era tan grande como se esperara en los primeros años. Nacieron muchos animales para quienes la rebelión era una tradición casi olvidada, transmitida verbalmente; y otros que habían sido adquiridos, jamás oyeron hablar de semejante cosa antes de su llegada. La granja poseía ahora tres caballos además de Clover. Eran bestias de prestancia, trabajadores de buena voluntad y excelentes camaradas, pero muy estúpidos. Ninguno de ellos logró aprender el alfabeto más allá de la letra B. Aceptaron todo lo que se les contó respecto a la rebelión y los principios del Animalismo, especialmente por Clover, a quien tenían un respeto casi filial; pero era dudoso que hubieran entendido mucho de lo que se les dijo.

La granja estaba más próspera y mejor organizada; hasta había sido ampliada con dos franjas de terreno compradas al señor Pilkington. El molino quedó terminado al fin, y la granja poseía una trilladora y un elevador de heno propios, agregándose también varios edificios. Whymper se había comprado un coche. El molino, sin embargo, no fue empleado para producir energía eléctrica. Se utilizó para moler maíz y produjo un saneado beneficio en efectivo. Los animales estaban trabajando mucho en la construcción de otro molino; cuando éste estuviera terminado, según se decía, se instalarían las dinamos. Pero los lujos con que Snowball hiciera soñar a los animales, las cuadras con luz eléctrica y agua caliente y fría, y la semana de tres días, ya no se mencionaban. Napoleón había censurado estas ideas por considerarlas contrarias al espíritu del Animalismo. La verdadera felicidad, dijo él, consistía en trabajar mucho y vivir frugalmente.

De algún modo parecía como si la granja se hubiera enriquecido sin enriquecer a los animales mismos; exceptuando, naturalmente, los cerdos y los perros. Tal vez eso se debiera en parte al hecho de haber tantos cerdos y tantos perros. No era que estos animales no trabajaran a su manera. Existía, como Squealer nunca se cansaba de explicarles, un sinfín de labores en la supervisión y organización de la granja. Gran parte de este trabajo tenía características tales que los demás animales eran demasiado ignorantes para comprenderlo. Por ejemplo, Squealer les dijo que los cerdos tenían que realizar un esfuerzo enorme todos los días con unas cosas misteriosas llamadas "ficheros", "informes", "actas" y "ponencias". Se trataba de largas hojas de papel que tenían que ser llenadas totalmente con escritura, y después eran quemadas en el horno. Esto era de suma importancia para el bienestar de la granja, señaló Squealer. Pero de cualquier manera, ni los cerdos ni los perros producían nada comestible mediante su propio trabajo; eran muchos y siempre tenían buen apetito.

En cuanto a los otros, su vida, por lo que ellos sabían, era lo que fue siempre. Generalmente tenían hambre, dormían sobre paja, bebían del estanque, trabajaban en el campo; en invierno sufrían los efectos del frío y en verano de las moscas. A veces, los más viejos de entre ellos buscaban en sus turbias memorias y trataban de determinar si en los primeros días de la rebelión, cuando la expulsión de Jones aún era reciente, las cosas fueron mejor o peor que ahora. No alcanzaban a recordar. No había con qué comparar su vida presente, no tenían en qué basarse a excepción de las listas de cifras de Squealer que, invariablemente, demostraban que todo mejoraba más y más. Los animales no encontraron solución al problema; de cualquier forma, tenían ahora poco tiempo para cavilar sobre estas cosas. Únicamente el viejo Benjamín manifestaba recordar cada detalle de su larga vida y saber que las cosas nunca fueron, ni podrían ser, mucho mejor o mucho peor; el hambre, la opresión y el desengaño eran, así dijo él, la ley inalterable de la vida.

Y, sin embargo, los animales nunca abandonaron sus esperanzas. Más aún, jamás perdieron, ni por un instante, su sentido del honor y el privilegio de ser miembros de "Granja Animal". Todavía era la única granja en todo el condado —¡en toda Inglaterra!— poseída y gobernada por animales. Ninguno, ni el más joven, ni siquiera los recién llegados, traídos desde granjas a diez o veinte millas de distancia, dejaron de maravillarse por ello. Y cuando sentían tronar la escopeta y veían la bandera verde ondeando al tope del mástil, sus corazones se hinchaban de inextinguible orgullo, y la conversación siempre giraba en torno a los heroicos días de antaño, la expulsión de Jones, la inscripción de los siete mandamientos, las grandes batallas en que los invasores humanos fueron derrotados. Ninguno de los viejos ensueños había sido abandonado. La República de los animales que Mayor pronosticara, cuando los campos verdes de Inglaterra no fueran hollados por pies humanos, era todavía su aspiración. Algún día llegaría; tal vez no fuera pronto, quizá no sucediera durante la existencia de la actual generación de animales, pero vendría. Hasta la melodía de "Bestias de Inglaterra" era seguramente tarareada a escondidas aquí o allá; de cualquier manera, era un hecho que todos los animales de la granja la conocían, aunque ninguno se hubiera atrevido a cantarla en voz alta. Podría ser que sus vidas fueran penosas y que no todas sus esperanzas se vieran cumplidas; pero tenían conciencia de no ser como otros animales. Si pasaban hambre, no lo era por alimentar a tiranos como los seres humanos; si trabajaban mucho, al menos lo hacían para ellos mismos. Ninguno caminaba sobre dos pies. Ninguno llamaba a otro "amo". Todos los animales eran iguales.

Un día, a principios de verano, Squealer ordenó a las ovejas que lo siguieran para conducirlas hacia una parcela de tierra no cultivada en el otro extremo de la granja, cubierta por retoños de abedul. Las ovejas pasaron todo el día allí comiendo hojas bajo la supervisión de Squealer. Al anochecer él volvió a la casa, pero como hacía calor, les dijo a las ovejas que se quedaran donde estaban. Y allí permanecieron toda la semana, sin ser vistas por los demás animales durante ese tiempo. Squealer estaba con ellas durante la mayor parte del día. Dijo que les estaba enseñando una nueva canción, para lo cual se necesitaba aislamiento.

Una tarde tranquila, al poco tiempo de haber vuelto las ovejas de su retiro —los animales ya habían terminado de trabajar y regresaban hacia los edificios de la granja—, se oyó desde el patio el relincho aterrado de un caballo. Alarmados, los animales se detuvieron bruscamente. Era la voz de Clover. Relinchó de nuevo y todos se lanzaron al galope entrando precipitadamente en el patio. Entonces contemplaron lo que Clover había visto.

Era un cerdo, caminando sobre sus patas traseras.

Sí, era Squealer. Un poco torpemente, como si no estuviera totalmente acostumbrado a sostener su gran volumen en aquella posición, pero con perfecto equilibrio, estaba paseándose por el patio. Y poco después, por la puerta de la casa apareció una larga fila de tocinos, todos caminando sobre sus patas traseras. Algunos lo hacían mejor que otros, si bien uno o dos andaban un poco inseguros, dando la impresión de que les hubiera agradado el apoyo de un bastón, pero todos ellos dieron con éxito una vuelta completa por el patio. Finalmente se oyó un tremendo ladrido de los perros y un agudo cacareo del gallo negro, y apareció Napoleón en persona, erguido majestuosamente, lanzando miradas arrogantes hacia uno y otro lado y con los perros brincando alrededor.

Llevaba un látigo en la mano.

Se produjo un silencio de muerte. Asombrados, aterrorizados, acurrucados unos contra otros, los animales observaban la larga fila de cerdos marchando lentamente alrededor del patio. Era como si el mundo se hubiera vuelto al revés. Llegó un momento en que pasó la primera impresión y, a pesar de todo — a pesar de su terror a los perros y de la costumbre adquirida durante muchos años de nunca quejarse, nunca criticar—, estaba a punto de saltar alguna palabra de protesta. Pero en ese preciso instante, como obedeciendo a una señal, todas las ovejas estallaron en un tremendo balido: "¡Cuatro patas sí, dos patas mejor! ¡Cuatro patas sí, dos patas mejor! ¡Cuatro patas sí, dos patas mejor! ".

El cántico siguió durante cinco minutos sin parar. Y cuando las ovejas callaron, la oportunidad para protestar había pasado, pues los cerdos entraron nuevamente en la casa.

Benjamín sintió que un hocico le rozaba el hombro. Se volvió. Era Clover. Sus viejos ojos parecían más apagados que nunca. Sin decir nada, le tiró suavemente de la crín y lo llevó hasta el extremo del granero principal, donde estaban inscritos los siete mandamientos. Durante un minuto o dos estuvieron mirando la pared alquitranada con sus blancas letras.

—La vista me está fallando —dijo ella finalmente—. Ni aun cuando era joven podía leer lo que estaba ahí escrito. Pero me parece que esa pared está cambiada. ¿Están igual que antes los siete mandamientos, Benjamín?

Por primera vez Benjamín consintió en romper la costumbre y leyó lo que estaba escrito en el muro. Allí no había nada excepto un solo Mandamiento. Este decía:

Todos los animales son iguales,
pero algunos animales son más iguales que otros.

Después de eso no les resultó extraño que al día siguiente los cerdos que estaban supervisando el trabajo de la granja, llevaran todos un látigo en la mano. No les pareció raro enterarse de que los cerdos se habían comprado una radio, estaban gestionando la instalación de un teléfono y se habían suscrito a *John Bull, Tit-Bits* y al *Daily Mirror*. No les resultó extraño cuando vieron a Napoleón paseando por el jardín de la casa con una pipa en el hocico; no, ni siquiera cuando los cerdos sacaron la ropa del señor Jones de los roperos y se la pusieron; Napoleón apareció con una chaqueta negra, pantalones bombachos y polainas de cuero, mientras que su acompañante favorita lucía el vestido de seda que la señora Jones acostumbraba usar los domingos.

Una semana después, una tarde, cierto número de coches llegó a la granja. Una delegación de granjeros vecinos había sido invitada para realizar una visita. Recorrieron la granja y expresaron gran admiración por todo lo que vieron, especialmente el molino.

Los animales estaban escardando el campo de nabos. Trabajaban casi sin despegar las caras del suelo y sin saber a quien debían temer más: si a los cerdos o a los visitantes humanos.

Esa noche se escucharon fuertes carcajadas y canciones desde la casa. El sonido de las voces entremezcladas despertó repentinamente la curiosidad de los animales. ¿Qué podía estar sucediendo allí, ahora que, por primera vez, animales y seres humanos estaban reunidos en igualdad de condiciones? De común acuerdo se arrastraron en el mayor silencio hasta el jardín de la casa.

Al llegar a la entrada se detuvieron, medio asustados, pero Clover avanzó resueltamente y los demás la siguieron. Fueron de puntillas hasta la casa, y los animales de mayor estatura espiaron por la ventana del comedor. Allí, alrededor de una larga mesa, estaban sentados media docena de granjeros y media docena de los cerdos más eminentes, ocupando Napoleón el puesto de honor en la cabecera. Los cerdos parecían encontrarse en las sillas completamente a sus anchas. El grupo estaba jugando una partida de naipes, pero la habían suspendido un momento, sin duda para brindar. Una jarra grande estaba pasando de mano en mano y los vasos se llenaban de cerveza una y otra vez.

El señor Pilkington de "Foxwood", se puso en pie, con un vaso en la mano. Dentro de un instante, explicó, iba a solicitar un brindis a los presentes. Pero antes, se consideraba obligado a decir unas palabras.

"Era para él motivo de gran satisfacción —dijo—, y estaba seguro que para todos los asistentes, comprobar que un largo periodo de desconfianzas y desavenencias llegaba a su fin. Hubo un tiempo, no es que él o cualquiera de los presentes compartieran tales sentimientos, pero hubo un tiempo en que los respetables propietarios de la "Granja Animal" fueron considerados, él no diría con hostilidad, sino con cierta dosis de recelo por sus vecinos humanos. Se produjeron incidentes desafortunados y eran fáciles los malos entendidos. Se creyó que la existencia de una granja poseída y gobernada por cerdos era en cierto modo anormal y que podría tener un efecto perturbador en el vecindario. Demasiados granjeros supusieron, sin la debida información, que en dicha granja prevalecía un espíritu de libertinaje e indisciplina. Habían estado preocupados respecto a las consecuencias que ello acarrearía a sus propios animales o aun sobre sus empleados del género humano. Pero todas estas dudas ya estaban disipadas. Él y sus amigos acababan de visitar "Granja Animal" y de inspeccionar cada pulgada con sus propios ojos. ¿Y qué habían encontrado? No solamente los métodos más modernos, sino una disciplina y un orden que debían servir de ejemplo para los granjeros de todas partes.

Él creía que estaba en lo cierto al decir que los animales inferiores de "Granja Animal" hacían más trabajo y recibían menos comida que cualquier animal del condado. En verdad, él y sus colegas visitantes observaron muchos detalles que pensaban implantar en sus granjas inmediatamente.

"Querría terminar mi discurso —dijo— recalcando nuevamente el sentimiento amistoso que subsistía y que debía subsistir entre "Granja Animal" y sus vecinos. Entre los cerdos y los seres humanos no había, y no debería haber, ningún choque de intereses de cualquier clase. Sus esfuerzos y sus dificultades eran idénticos. ¿No era el problema laboral el mismo en todas partes?" Aquí pareció que el señor Pilkington se disponía a contar algún chiste preparado de antemano, pero por un instante le dominó la risa, y no pudo articular palabra. Después de un rato de sofocación en cuyo transcurso sus diversas papadas enrojecieron, logró explicarse:

"¡Si bien ustedes tienen que lidiar con sus animales inferiores —dijo— nosotros tenemos nuestras clases inferiores!"

Esta ocurrencia les hizo desternillar de risa; y el señor Pilkington nuevamente felicitó a los cerdos por las escasas raciones, las largas horas de trabajo y la falta de blandenguerías que observara en "Granja Animal".

"Y ahora —dijo finalmente—, iba a pedir a los presentes que se pusieran de pie y se cercioraran de que sus vasos estaban llenos.

"Señores —concluyó el señor Pilkington—, señores, les propongo un brindis: ¡Por la prosperidad de la "Granja Animal!"

Hubo unos vítores entusiastas y un resonar de pies y patas. Napoleón estaba tan complacido, que dejó su lugar y dio la vuelta a la mesa para chocar su vaso con el del señor Pilkington antes de vaciarlo. Cuando terminó el vitoreo, Napoleón, que permanecía de pie, insinuó que también él tenía que decir algunas palabras.

Como en todos sus discursos, Napoleón fue breve y al grano.

"Él también —dijo— estaba contento de que el periodo de desavenencias llegara a su fin. Durante mucho tiempo hubo rumores propalados —él tenía motivos fundados para creer que por algún enemigo malévolo— de que existía algo subversivo y hasta revolucionario en sus puntos de vista y los de sus colegas. Se les atribuyó la intención de fomentar la rebelión entre los animales de las granjas vecinas. ¡Nada podía estar más lejos de la verdad! Su único deseo, ahora y en el pasado, era vivir en paz y mantener relaciones normales con sus vecinos. Esta granja que él tenía el honor de controlar —agregó— era una empresa cooperativa. Los títulos de propiedad, que estaban en su poder, pertenecían a todos los cerdos en conjunto.

"Él no creía — dijo— que aún quedaran rastros de las viejas sospechas, pero se acababan de introducir ciertos cambios en la rutina de la granja que tendrían el efecto de fomentar, aún más, la mutua confianza. Hasta entonces los animales de la granja tenían la costumbre algo tonta de dirigirse unos a otros como "camarada". Eso iba a ser suprimido. También existía otra costumbre muy rara, cuyo origen era desconocido: la de desfilar todos los domingos por la mañana ante el cráneo de un cerdo clavado en un poste del jardín. Eso también iba a suprimirse, y el cráneo ya había sido enterrado. Sus visitantes habían observado asimismo la bandera verde que ondeaba al tope del mástil. En ese caso, seguramente notaron que el asta y la pezuña blanca con que estaba marcada anteriormente fueron eliminados. En adelante, sería simplemente una bandera verde.

"Tenía que hacer una sola crítica del magnífico y amistoso discurso del señor Pilkington. El señor Pilkington hizo referencia en todo momento a "Granja Animal". No podía saber, naturalmente —porque él, Napoleón, iba a anunciarlo por primera vez— que el nombre de "Granja Animal" había sido abolido. Desde ese momento la granja iba a ser conocida como "Granja Manor", que era su nombre verdadero y original.

"Señores —concluyó Napoleón—, voy a proponer el mismo brindis de antes, pero de otra forma. Llenen los vasos hasta el borde. Señores, éste es mi brindis: ¡Por la prosperidad de la "Granja Manor!"

Se repitió el mismo cordial vitoreo de antes y los vasos fueron vaciados de un trago. Pero a los animales, que desde fuera observaban la escena, les pareció que algo raro estaba ocurriendo. ¿Qué era lo que se había alterado en los rostros de los cerdos? Los viejos y apagados ojos de Clover pasaron rápida y alternativamente de un rostro a otro. Algunos tenían cinco papadas, otros tenían cuatro, aquellos tenían tres. Pero ¿qué era lo que parecía desvanecerse y transformarse? Después, finalizados los aplausos, los concurrentes tomaron nuevamente los naipes y continuaron la partida interrumpida, alejándose los animales en silencio.

Pero no habían dado veinte pasos cuando se pararon bruscamente. Un enorme alboroto de voces venía desde la casa. Regresaron corriendo y miraron nuevamente por la ventana. Sí, se estaba desarrollando una violenta discusión: gritos, golpes sobre la mesa, miradas penetrantes y desconfiadas, negativas furiosas. El origen del conflicto parecía ser que tanto Napoleón como el señor Pilkington habían descubierto simultáneamente un as de espadas cada uno. Doce voces gritaban enfurecidas, y eran todas iguales. No había duda de la transformación ocurrida en las caras de los cerdos. Los animales asombrados, pasaron su mirada del cerdo al hombre, y del hombre al cerdo; y, nuevamente, del cerdo al hon..re; pero ya era imposible distinguir quién era uno y quién era otro.